Bilingual
VISUAL
dictionary

Bilingual

VISUAL

dictionary

Previously published as part of
5-Language Visual Dictionary

A DORLING KINDERSLEY BOOK

London, New York, Melbourne, Munich, Delhi

Senior Editor Angeles Gavira
Senior Art Editor Ina Stradins
DTP Designers Sunil Sharma, Balwant Singh,
Harish Aggarwal, John Goldsmid, Ashwani Tyagi
DTP Coordinator Pankaj Sharma
Production Controller Liz Cherry
Picture Researcher Anna Grapes
Managing Editor Liz Wheeler
Managing Art Editor Phil Ormerod
Category Publisher Jonathan Metcalf

Designed for Dorling Kindersley by WaltonCreative.com
Art Editor Colin Walton, assisted by Tracy Musson
Designers Peter Radcliffe, Earl Neish, Ann Cannings
Picture Research Marissa Keating

Language content for Dorling Kindersley by
g-and-w PUBLISHING
Managed by Jane Wightwick, assisted by Ana Bremón
Translation and editing by Ana Bremón
Additional input by Dr. Arturo Pretel, Martin Prill,
Frédéric Monteil, Meinrad Prill, Mari Bremón,
Oscar Bremón, Anunchi Bremón, Leila Gaafar

First American Edition, 2005
Published in the United States by
DK Publishing, Inc., 375 Hudson Street,
New York, New York 10014
20 19 18 17 16 15
049-BD219-08/2005
Copyright © 2005 Dorling Kindersley Limited

A Cataloging-in-Publication record for this book
is available from the Library of Congress.
ISBN-13: 978-0-7566-1298-6

Color reproduction by Colourscan, Singapore
Printed and bound in China by L.Rex Printing Co., Ltd

Discover more at
www.dk.com

contenido
contents

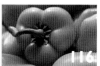

español • english

comer fuera •
eating out

el estudio • study

el trabajo • work

el transporte •
transportation

los deportes • sport

el ocio • leisure

el medio ambiente
• environment

los datos • reference

sobre el diccionario

Está comprobado que el empleo de fotografías ayuda a la comprensión y a la retención de información. Basados en este principio, este diccionario bilingüe y altamente ilustrado exhibe un amplio registro de vocabulario útil y actual en dos idiomas europeos.

El diccionario aparece dividido según su temática y abarca la mayoría de los aspectos del mundo cotidiano con detalle, desde el restaurante al gimnasio, la casa al lugar de trabajo, el espacio al reino animal. Encontrará también palabras y frases adicionales para su uso en conversación y para ampliar su vocabulario.

Este diccionario es un instrumento de referencia esencial para todo aquél que esté interesado en los idiomas; es práctico, estimulante y fácil de usar.

Algunos puntos a observar

Los dos idiomas se presentan siempre en el mismo orden: español (mejicano y castellano) e inglés. Cuando existen diferencias entre el castellano y el español mejicano, el mejicano aparece primero seguido por el castellano; este último entre paréntesis e indicado con una C: **la llave** (C **el grifo**).

En español, los sustantivos se muestran con sus artículos definidos reflejando el género (masculino o femenino) y el número (singular/plural):

la semilla **las almendras**
seed   almonds

Los verbos se indican con una (v) después del inglés:

recolectar • harvest (v)

Cada idioma tiene su propio índice. Aquí podrá mirar una palabra en cualquiera de los dos idiomas y se le indicará el número de la página donde aparece. El género se indica utilizando las siguientes abreviaturas:

m = masculino f = femenino

about the dictionary

The use of pictures is proven to aid understanding and the retention of information. Working on this principle, this highly illustrated bilingual dictionary presents a large range of useful current vocabulary in two European languages.

The dictionary is divided thematically and covers most aspects of the everyday world in detail, from the restaurant to the gym, the home to the workplace, outer space to the animal kingdom. You will also find additional words and phrases for conversational use and for extending your vocabulary.

This is an essential reference tool for anyone interested in languages— practical, stimulating, and easy-to-use.

A few things to note

The two languages are always presented in the same order—Spanish (Mexican and Castilian) and English. Where a word or phrase is different in Castilian and Mexican Spanish, the Mexican appears first, followed by the Castilian; the latter in brackets and indicated by a C: **la llave** (C **el grifo**).

In Spanish, nouns are given with their definite articles reflecting the gender (masculine or feminine) and number (singular or plural), for example:

la semilla **las almendras**
seed   almonds

Verbs are indicated by a (v) after the English, for example:

recolectar • harvest (v)

Each language also has its own index at the back of the book. Here you can look up a word in either of the two languages and be referred to the page number(s) where it appears. The gender is shown using the following abbreviations:

m = masculine f = feminine

cómo utilizar este libro

Ya se encuentre aprendiendo un idioma nuevo por motivos de trabajo, placer, o para preparar sus vacaciones al extranjero, o ya quiera ampliar su vocabulario en un idioma que ya conoce, este diccionario es un instrumento muy valioso que podrá utilizar de distintas maneras.

Cuando esté aprendiendo un idioma nuevo, busque palabras similares en distintos idiomas y palabras que parecen similares pero que poseen significados totalmente distintos. También podrá observar cómo los idiomas se influyen unos a otros. Por ejemplo, la lengua inglesa ha importado muchos términos de comida de otras lenguas pero, a cambio, ha exportado términos empleados en tecnología y cultura popular.

Actividades prácticas de aprendizaje

• Mientras se desplaza por su casa, lugar de trabajo o colegio, intente mirar las páginas que se refieren a ese lugar. Podrá entonces cerrar el libro, mirar a su alrededor y ver cuántos objetos o características puede nombrar.

• Desafíese a usted mismo a escribir una historia, carta o diálogo empleando tantos términos de una página concreta como le sea posible. Esto le ayudará a retener vocabulario y recordar la ortografía. Si quiere ir progresando para poder escribir un texto más largo, comience con frases que incorporen 2 ó 3 palabras.

• Si tiene buena memoria visual, intente dibujar o calcar objetos del libro; luego cierre el libro y escriba las palabras correspondientes debajo del dibujo.

• Cuando se sienta más seguro, escoja palabras del índice de uno de los idiomas y vea si sabe lo que significan antes de consultar la página correspondiente para comprobarlo.

how to use this book

Whether you are learning a new language for business, pleasure, or in preparation for an overseas vacation, or are hoping to extend your vocabulary in an already familiar language, this dictionary is a valuable learning tool that you can use in a number of different ways.

When learning a new language, look for cognates (words that are alike in different languages) and "false friends" (words that look alike but carry significantly different meanings). You can also see where the languages have influenced each other. For example, English has imported many terms for food from other European languages but, in turn, exported terms used in technology and popular culture.

Practical learning activities

• As you move around your home, workplace, or school, try looking at the pages which cover that setting. You could then close the book, look around you, and see how many of the objects and features you can name.

• Challenge yourself to write a story, letter, or dialogue using as many of the terms on a particular page as possible. This will help you retain the vocabulary and remember the spelling. If you want to build up to writing a longer text, start with sentences incorporating 2–3 words.

• If you have a very visual memory, try drawing or tracing items from the book onto a piece of paper, then closing the book and filling in the words below the picture.

• Once you are more confident, pick out words in a foreign-language index and see if you know what they mean before turning to the relevant page to see if you were right.

la gente
people

el cuerpo • body

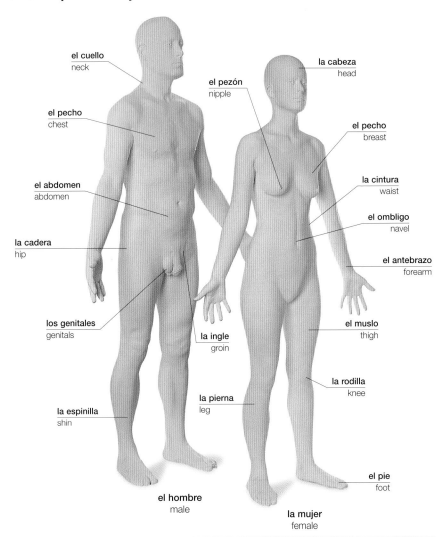

el cuello
neck

la cabeza
head

el pezón
nipple

el pecho
chest

el pecho
breast

la cintura
waist

el abdomen
abdomen

el ombligo
navel

la cadera
hip

el antebrazo
forearm

los genitales
genitals

la ingle
groin

el muslo
thigh

la rodilla
knee

la espinilla
shin

la pierna
leg

el pie
foot

el hombre
male

la mujer
female

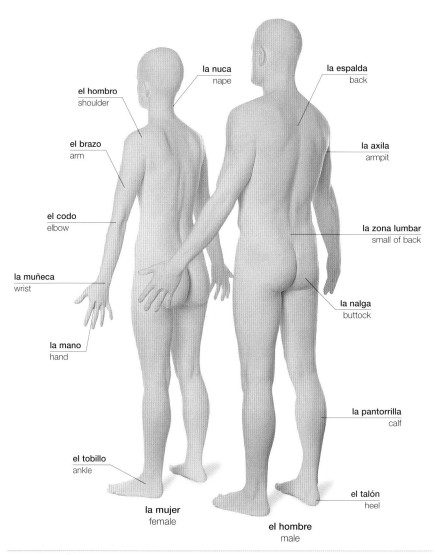

el hombro
shoulder

la nuca
nape

la espalda
back

el brazo
arm

la axila
armpit

el codo
elbow

la zona lumbar
small of back

la muñeca
wrist

la nalga
buttock

la mano
hand

la pantorrilla
calf

el tobillo
ankle

el talón
heel

la mujer
female

el hombre
male

la cara • face

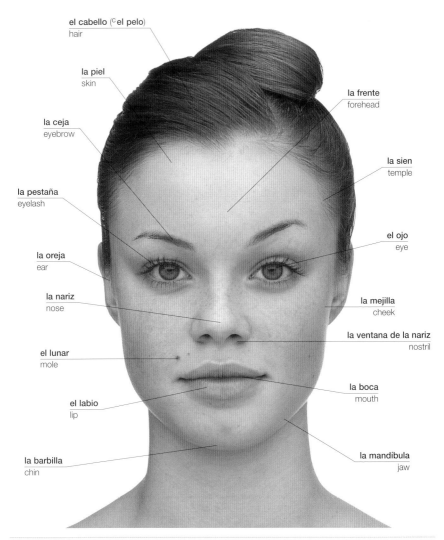

el cabello (C el pelo)
hair

la piel
skin

la frente
forehead

la ceja
eyebrow

la sien
temple

la pestaña
eyelash

el ojo
eye

la oreja
ear

la mejilla
cheek

la nariz
nose

la ventana de la nariz
nostril

el lunar
mole

la boca
mouth

el labio
lip

la barbilla
chin

la mandíbula
jaw

la arruga
wrinkle

la peca
freckle

el poro
pore

el hoyuelo
dimple

la mano • hand

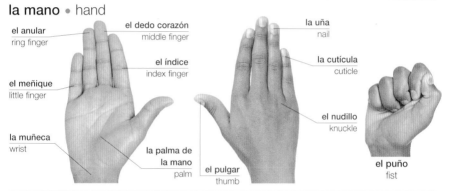

el anular
ring finger

el dedo corazón
middle finger

el índice
index finger

la uña
nail

la cutícula
cuticle

el meñique
little finger

el nudillo
knuckle

la muñeca
wrist

la palma de la mano
palm

el pulgar
thumb

el puño
fist

el pie • foot

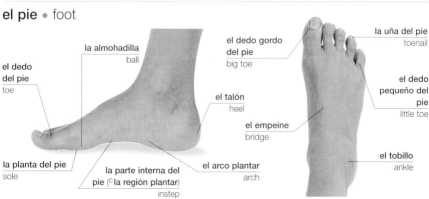

la almohadilla
ball

el dedo del pie
toe

el dedo gordo del pie
big toe

la uña del pie
toenail

el talón
heel

el dedo pequeño del pie
little toe

el empeine
bridge

la planta del pie
sole

la parte interna del pie (ᶜla región plantar)
instep

el arco plantar
arch

el tobillo
ankle

los músculos • muscles

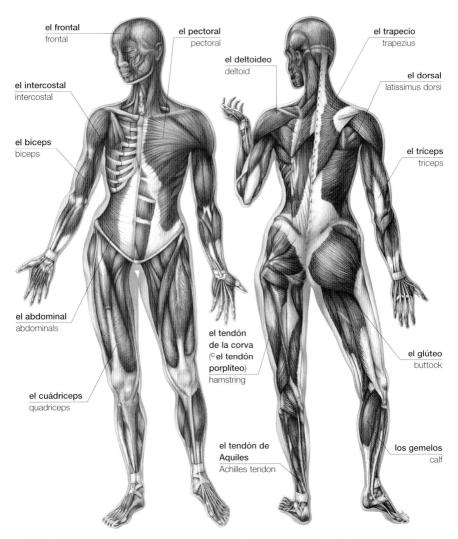

el frontal
frontal

el pectoral
pectoral

el deltoideo
deltoid

el trapecio
trapezius

el dorsal
latissimus dorsi

el intercostal
intercostal

el bíceps
biceps

el tríceps
triceps

el abdominal
abdominals

el tendón
de la corva
(ᶜel tendón
porplíteo)
hamstring

el glúteo
buttock

el cuádriceps
quadriceps

el tendón de
Aquiles
Achilles tendon

los gemelos
calf

el esqueleto • skeleton

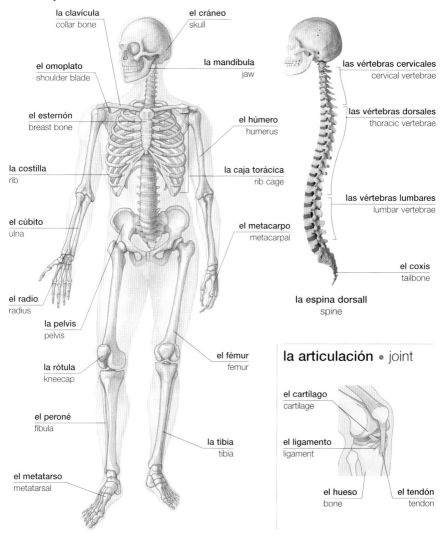

la clavícula
collar bone

el cráneo
skull

el omoplato
shoulder blade

la mandíbula
jaw

el esternón
breast bone

el húmero
humerus

la costilla
rib

la caja torácica
rib cage

el cúbito
ulna

el metacarpo
metacarpal

el radio
radius

la pelvis
pelvis

la rótula
kneecap

el fémur
femur

el peroné
fibula

la tibia
tibia

el metatarso
metatarsal

las vértebras cervicales
cervical vertebrae

las vértebras dorsales
thoracic vertebrae

las vértebras lumbares
lumbar vertebrae

el coxis
tailbone

la espina dorsall
spine

la articulación • joint

el cartílago
cartilage

el ligamento
ligament

el hueso
bone

el tendón
tendon

los órganos internos • internal organs

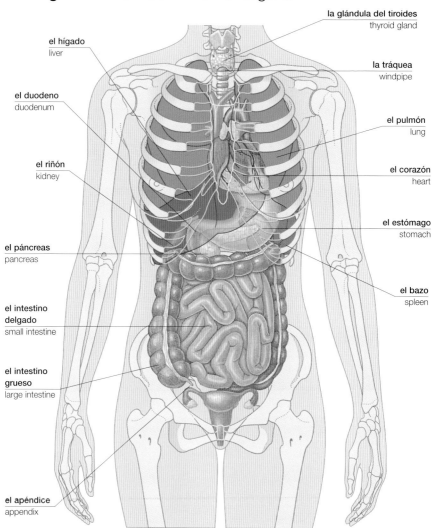

la glándula del tiroides
thyroid gland

el hígado
liver

la tráquea
windpipe

el duodeno
duodenum

el pulmón
lung

el riñón
kidney

el corazón
heart

el estómago
stomach

el páncreas
pancreas

el bazo
spleen

el intestino
delgado
small intestine

el intestino
grueso
large intestine

el apéndice
appendix

la cabeza • head

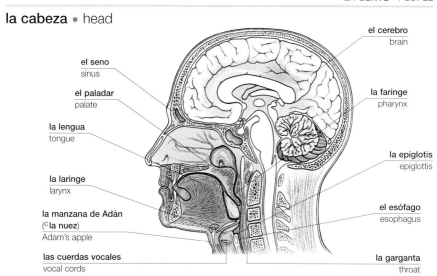

el cerebro
brain

el seno
sinus

el paladar
palate

la lengua
tongue

la laringe
larynx

la manzana de Adán
(ᶜ la nuez)
Adam's apple

las cuerdas vocales
vocal cords

la faringe
pharynx

la epiglotis
epiglottis

el esófago
esophagus

la garganta
throat

los sistemas • body systems

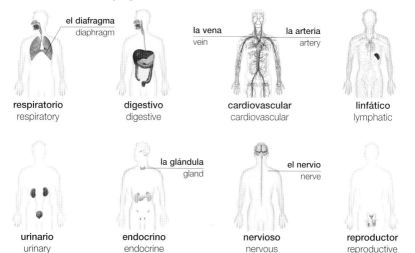

el diafragma
diaphragm

la vena
vein

la arteria
artery

respiratorio
respiratory

digestivo
digestive

cardiovascular
cardiovascular

linfático
lymphatic

la glándula
gland

el nervio
nerve

urinario
urinary

endocrino
endocrine

nervioso
nervous

reproductor
reproductive

los órganos reproductores • reproductive organs

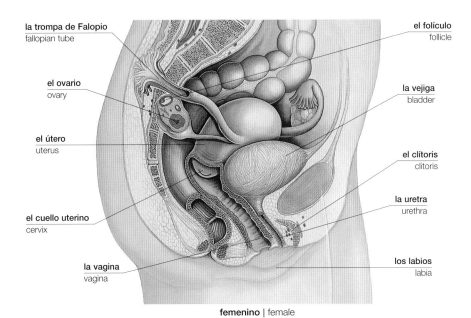

la trompa de Falopio fallopian tube	el folículo follicle
el ovario ovary	la vejiga bladder
el útero uterus	el clítoris clitoris
el cuello uterino cervix	la uretra urethra
la vagina vagina	los labios labia

femenino | female

la reproducción • reproduction

el esperma
sperm

el óvulo
egg

la fertilización | fertilization

vocabulario • vocabulary

la hormona hormone	**impotente** impotent	**la menstruación** menstruation
la ovulación ovulation	**fértil** fertile	**el coito** intercourse
estéril infertile	**concebir** conceive	**la enfermedad de transmisión sexual** sexually transmitted disease

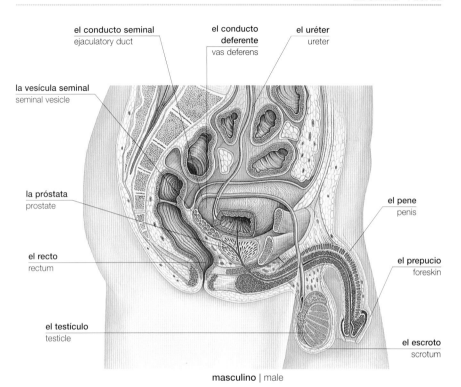

el conducto seminal
ejaculatory duct

el conducto
deferente
vas deferens

el uréter
ureter

la vesícula seminal
seminal vesicle

la próstata
prostate

el pene
penis

el recto
rectum

el prepucio
foreskin

el testículo
testicle

el escroto
scrotum

masculino | male

la anticoncepción • contraception

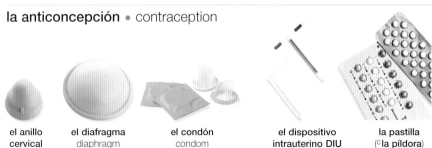

el anillo
cervical
cap

el diafragma
diaphragm

el condón
condom

el dispositivo
intrauterino DIU
IUD

la pastilla
(ᶜla píldora)
pill

la familia • family

la abuela
grandmother

el abuelo
grandfather

el tío
uncle

la tía
aunt

el padre
father

la madre
mother

el primo
cousin

el hermano
brother

la hermana
sister

la esposa
wife

la nuera
daughter-in-law

el hijo
son

la hija
daughter

el yerno
son-in-law

el nieto
grandson

la nieta
granddaughter

el esposo
husband

vocabulario • vocabulary

los parientes relatives	**los padres** parents	**los nietos** grandchildren	**la madrastra** stepmother	**el hijastro** stepson	**la generación** generation
los abuelos grandparents	**los niños** children	**el padrastro** stepfather	**la hijastra** stepdaughter	**el/la compañero/-a** partner	**los gemelos** twins

las etapas • stages

la suegra mother-in-law   **el suegro** father-in-law

el bebé baby

el niño child

el cuñado brother-in-law

la cuñada sister-in-law

el niño boy

la niña girl

la sobrina niece

el sobrino nephew

la adolescente teenager

el adulto adult

Señora Mrs

los tratamientos • titles

Señor Mr.

Señorita Miss

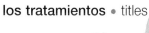

el hombre man

la mujer woman

las relaciones • relationships

el jefe
manager

la asistente
(ᶜla ayudante)
assistant

la socia
business partner

la empresaria
employer

el empleado
employee

el compañero
colleague

la oficina | office

el vecino
neighbor

el amigo
friend

el conocido
acquaintance

el amigo por
correspondencia
pen pal

el novio
boyfriend

la novia
girlfriend

el prometido
fiancé

la prometida
fiancée

la pareja | couple

la pareja | engaged couple

las emociones • emotions

la sonrisa
smile

contento
happy

triste
sad

entusiasmado
excited

aburrido
bored

sorprendido
surprised

asustado
scared

el ceño
fruncido
frown

enfadado
angry

confuso
confused

preocupado
worried

nervioso
nervous

orgulloso
proud

seguro de sí mismo
confident

avergonzado
embarrassed

tímido
shy

vocabulario • vocabulary

triste upset	**reír** laugh (v)	**suspirar** sigh (v)	**gritar** shout (v)
horrorizado shocked	**llorar** cry (v)	**desmayarse** faint (v)	**bostezar** yawn (v)

los acontecimientos de una vida • life events

nacer
be born (v)

empezar el colegio
start school (v)

hacer amigos
make friends (v)

graduarse (ᶜlicenciarse)
graduate (v)

conseguir un trabajo
get a job (v)

enamorarse
fall in love (v)

casarse
get married (v)

tener un hijo
have a baby (v)

la boda | wedding

el divorcio
divorce

el funeral
funeral

vocabulario • vocabulary

el bautizo
christening

el bar mitzvah
bar mitzvah

el aniversario
anniversary

emigrar
emigrate (v)

retirarse
retire (v)

morir
die (v)

hacer testamento
make a will (v)

el banquete de boda
wedding reception

la luna de miel
honeymoon

el acta (ᶜla partida) **de nacimiento**
birth certificate

las celebraciones • celebrations

los festivales • festivals

la fiesta de cumpleaños
birthday party

la tarjeta
card

el regalo
present

el cumpleaños
birthday

la Navidad
Christmas

la Pascua judía
Passover

el Año Nuevo
New Year

el carnaval
carnival

el desfile
procession

el Ramadán
Ramadan

la cinta
ribbon

el día de Acción de Gracias
Thanksgiving

la Pascua (ᶜla **Semana Santa**)
Easter

el día de Halloween
Halloween

el Diwali
Diwali

la apariencia
appearance

la ropa de niño • children's clothing

el bebé • baby

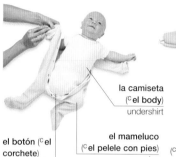

el traje de invierno (ᶜel buzo)
snowsuit

la camiseta
(ᶜel body)
undershirt

el botón (ᶜel
corchete)
snap

el mameluco
(ᶜel pelele con pies)
onesize

el mameluco
(ᶜel pijama enterizo)
sleeper

el mameluco (ᶜel
pelele) sin pies
romper suit

el babero
bib

los guantes
(ᶜlos manoplas)
mittens

las botas
(ᶜlos patucos)
booties

el pañal de felpa
cloth diaper

el pañal
desechable
disposable diaper

el calzón (ᶜlas bra-
guitas) de plástico
plastic underpants

el niño pequeño • toddler

el gorro para el sol
sun bonnet

el delantal
apron

los panatalones
con peto
overalls

los shorts
(ᶜlos pantalones
cortos)
shorts

la playera
(ᶜla camiseta)
t-shirt

la falda
skirt

el niño • child

el vestido
dress

los jeans
(^Clos pantalones vaqueros)
jeans

la mochila
backpack

el broche
(^Cla muletilla)
toggle

la bufanda
scarf

la capucha
hood

la chamarra
(^C el chaquetón)
parka

los huaraches
(^Clas sandalias)
sandals

las botas de agua
galoshes

el verano
summer

el impermeable
raincoat

el otoño
fall

el abrigo
(^Cla trenca)
duffel coat

el invierno
winter

la bata
robe

el logotipo
logo

los tenis
(^Clas zapatillas de deporte)
sneakers

el camisón
nightgown

las pantuflas
slippers

la ropa para dormir
nightwear

el uniforme del equipo
soccer uniform

los pants
(^Cel chándal)
warm-up suit

las mallas
leggings

vocabulario • vocabulary

la fibra natural natural fiber	¿Se puede lavar en lavadora? Is it machine washable?
sintético synthetic	¿Le quedará a un niño de dos años? Will this fit a two-year-old?

la ropa de caballero • men's clothing

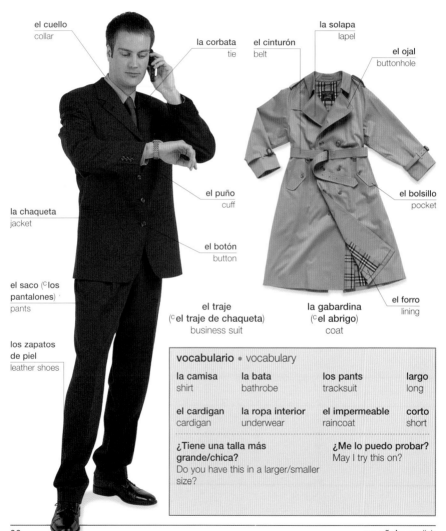

el cuello
collar

la corbata
tie

el cinturón
belt

la solapa
lapel

el ojal
buttonhole

el puño
cuff

el bolsillo
pocket

la chaqueta
jacket

el botón
button

el saco (ᶜlos pantalones)
pants

el forro
lining

los zapatos de piel
leather shoes

el traje
(ᶜel traje de chaqueta)
business suit

la gabardina
(ᶜel abrigo)
coat

vocabulario • vocabulary

la camisa shirt	**la bata** bathrobe	**los pants** tracksuit	**largo** long
el cardigan cardigan	**la ropa interior** underwear	**el impermeable** raincoat	**corto** short

¿Tiene una talla más grande/chica?
Do you have this in a larger/smaller size?

¿Me lo puedo probar?
May I try this on?

el saco (^C**la chaqueta**)
blazer

el saco sport
(^C**la americana sport**)
sport coat

el chaleco
vest

el cuello en V
(^Cel cuello de pico)
v-neck

el cuello redondo
crew neck

la camiseta
t-shirt

el chaquetón
parka

la sudadera
sweatshirt

la chamarra (^C**la cazadora**)
windbreaker

los pants
(^Clos pantalones
de chándal)
sweatpants

el suéter (^C**el jersey**)
sweater

la piyama (^C**el pijama**)
pajamas

la camiseta de tirantes
undershirt

la ropa casual
(^C **la ropa sport**)
sportswear

los shorts (^C**los pantalones
cortos**) | shorts

los calzoncillos
briefs

los boxers (^C**los calzoncillos
de pata**) | boxer shorts

los calcetines
socks

la ropa de dama (c de señora) • women's clothing

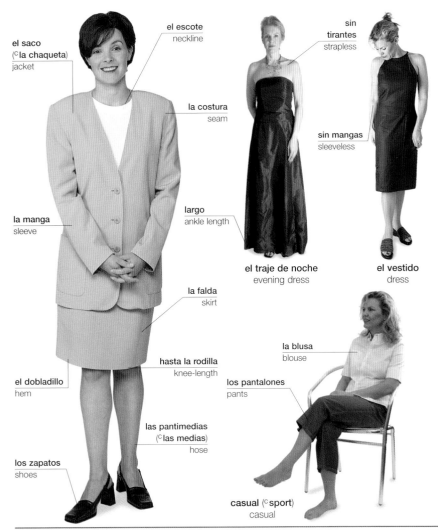

el saco
(c la chaqueta)
jacket

el escote
neckline

la costura
seam

sin tirantes
strapless

sin mangas
sleeveless

la manga
sleeve

largo
ankle length

el traje de noche
evening dress

el vestido
dress

la falda
skirt

la blusa
blouse

hasta la rodilla
knee-length

los pantalones
pants

el dobladillo
hem

las pantimedias
(c las medias)
hose

los zapatos
shoes

casual (c sport)
casual

la lencería • lingerie

el negligé
(ᶜel salto de cama)
negligée

el fondo
(ᶜla combinación)
slip

el tirante
strap

la camisola
camisole

las ligas
garters

el corsé con liguero
bustier

las medias de liguero
stockings

las pantimedias
(ᶜlas medias)
panty hose

la camiseta de tirantes
undershirt

el brassiere
(ᶜel sujetador)
bra

las pantaletas
(ᶜlas bragas)
underpants

el camisón
nightgown

la boda • wedding

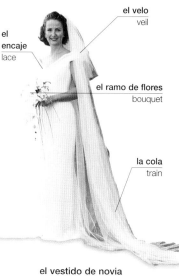

el velo veil

el encaje lace

el ramo de flores bouquet

la cola train

el vestido de novia
wedding dress

vocabulario • vocabulary

el corsé corset	**la liga** garter belt
el brassiere (ᶜsujetador) **deportivo** sports bra	**entallado** (ᶜsastre) tailored
la hombrera shoulder pad	**con varillas** (ᶜcon aros) underwire
la cinturilla waistband	**con los hombros al aire** halter neck

los accesorios • accessories

la hebilla
buckle

el mango
(ᶜ el asa)
handle

la gorra
cap

el sombrero
hat

la mascada
(ᶜ el pañuelo)
scarf

el cinturón
belt

la punta
tip

el pañuelo
handkerchief

el moño (ᶜ la pajarita)
bow tie

el alfiler de
corbata
tiepin

los guantes
gloves

el paraguas
umbrella

las joyas • jewelry

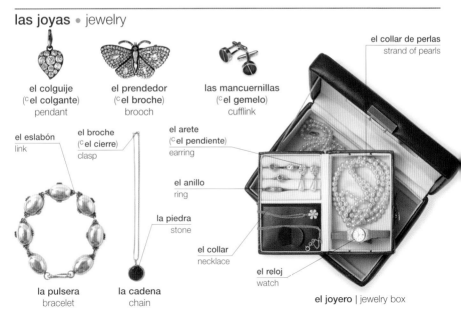

el collar de perlas
strand of pearls

el colguije
(ᶜ el colgante)
pendant

el prendedor
(ᶜ el broche)
brooch

las mancuernillas
(ᶜ el gemelo)
cufflink

el eslabón
link

el broche
(ᶜ el cierre)
clasp

el arete
(ᶜ el pendiente)
earring

el anillo
ring

la piedra
stone

el collar
necklace

el reloj
watch

la pulsera
bracelet

la cadena
chain

el joyero | jewelry box

las bolsas • bags

el cierre
clasp

la correa
shoulder strap

las asas
handles

la cartera
wallet

el monedero
change purse

la bolsa (^c el bolso)
shoulder bag

la bolsa de viaje
duffle bag

el maletín
briefcase

la bolsa (^c el bolso) **de mano**
handbag

la mochila
backpack

los zapatos • shoes

la agujeta
(^c la cordonera)
lace

la lengüeta
tongue

el ojal
eyelet

la suela
sole

el tacón
heel

**la bota de
trekking**
walking boot

el tenis (^c la
zapatilla deportiva)
sneaker

el zapato de agujetas (^c de cordoneras)
lace-up

el zapato de piel
leather shoe

la chancla
flip-flop

**el zapato de
tacón**
high heel shoe

**el zapato de
plataforma**
platform shoe

la sandalia
sandal

el mocasín
slip-on

**el zapato de
caballero**
brogan

el cabello • hair

el peine
comb

peinar
comb (v)

el cepillo
brush

cepillar | brush (v)

la estilista
(ᶜla peluquera)
hairdresser

el lavabo
sink

la cliente
client

lavar | wash (v)

enjuagar
rinse (v)

la bata
robe

cortar
cut (v)

secar con la secadora
blowdry (v)

marcar
set (v)

los accesorios • accessories

la secadora
(ᶜel secador)
blow-dry

el champú
shampoo

el acondicionador (ᶜel
suavizante) | conditioner

el gel
gel

la laca
hairspray

las tenazas
(ᶜlas tenacillas)
curling iron

las tijeras
scissors

la diadema
headband

el rulo
curler

el pasador (ᶜla
horquilla) | bobby pin

español • english

los estilos • styles

el listón
(ᶜel lazo)
ribbon

la cola de caballo
ponytail

la trenza
braid

el chongo (ᶜel moño) francés
French braid

el chongo (ᶜel moño)
bun

las coletas
pigtails

el príncipe valiente (ᶜla melena) | bob

el pelo corto
crop

rizado
curly

la permanente
perm

lacio
straight

las raíces
roots
las luces (ᶜlos reflejos)
highlights

calvo
bald

la peluca
wig

vocabulario • vocabulary

la goma del pelo hair band — **graso** greasy

despuntar (ᶜcortar las puntas) trim (v) — **seco** dry

el peluquero (ᶜel barbero) barber — **alaciar (ᶜalisar)** straighten (v)

la caspa dandruff — **normal** normal

la orzuela (ᶜlas puntas abiertas) split ends — **el cuero cabelludo** scalp

los colores • colours

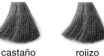

güero (ᶜrubio) blonde

castaño brunette

rojizo auburn

pelirrojo pelirrojo

negro black

gris gray

blanco white

teñido dyed

la belleza • beauty

el tinte para el pelo
hair dye

la sombra
de ojos
eye shadow

el rímel
mascara

el delineador
(C el lápiz de ojos)
eyeliner

el rubor
(C el colorete)
blusher

la base
(C el maquillaje de fondo)
foundation

el lápiz labial
lipstick

el maquillaje • makeup

el lápiz de cejas
eyebrow pencil

el cepillo para las cejas
eyebrow brush

las pinzas
tweezers

el brillo de labios
lip gloss

el pincel de labios
lip brush

el lápiz de labios
lip liner

la brocha
brush

el lápiz corrector
concealer

el espejo
mirror

el maquillaje (C los
polvos compactos)
face powder

la borla
powder puff

la polvera | compact

los tratamientos de belleza • beauty treatments

la mascarilla
face pack

la limpieza de cutis
facial

la cama de rayos ultravioletas
sunbed

exfoliar
exfoliate (v)

la depilación a la cera
wax

la pedicura
pedicure

la manicura • manicure

la lima de uñas
nail file

el quitaesmalte
nail polish remover

el esmalte de uñas
nail polish

las tijeras de uñas
nail scissors

el cortaúñas
nail clippers

los artículos de tocador • toiletries

la crema limpiadora
cleanser

el tónico
toner

la crema hidratante
moisturizer

la crema bronceadora
(ᶜautobronceadora)
self-tanning lotion

el perfume
perfume

el agua de colonia
eau de toilette

vocabulario • vocabulary

el cutis complexion	**graso** oily	**el bronceado** tan
claro fair	**sensible** sensitive	**el tatuaje** tattoo
moreno dark	**hipoalergénico** hypoallergenic	**antiarrugas** antiwrinkle
seco dry	**el tono** shade	**las bolas de algodón** cotton balls

la salud
health

la enfermedad • illness

la fiebre | fever

el dolor de
cabeza
headache

la hemorragia
nasal
nosebleed

la tos
cough

el estornudo
sneeze

el resfriado
cold

la gripe
the flu

el inhalador
inhaler

el asma
asthma

los calambres
cramps

la náusea
nausea

la varicela
the chickenpox

el sarpullido
rash

vocabulario • vocabulary

la aplopejía (ᶜel derrame cerebral) stroke	la fiebre del heno hay fever	la infección infection	el dolor de estómago stomach ache	la migraña (ᶜla jaqueca) migraine	la diarrea diarrhea
la diabetes diabetes	la alergia allergy	el eccema eczema	el resfriado chill	vomitar vomit (v)	el sarampión measles
el ataque cardiaco (ᶜel infarto de miocardio) heart attack	la presión arterial (ᶜla tensión arterial) blood pressure	el virus virus	desmayarse faint (v)	la epilepsia epilepsy	las paperas mumps

el doctor • doctor
la consulta • consultation

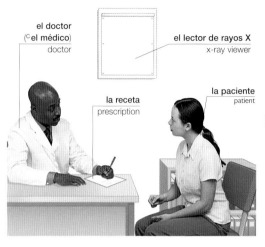

el doctor
(C el médico)
doctor

el lector de rayos X
x-ray viewer

la receta
prescription

la paciente
patient

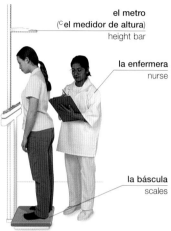

el metro
(C el medidor de altura)
height bar

la enfermera
nurse

la báscula
scales

el indicador para medir
la presión (C la tensión)
blood pressure gauge

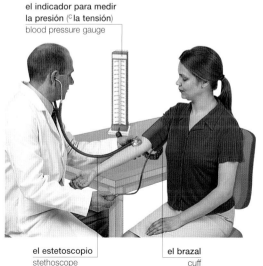

el estetoscopio
stethoscope

el brazal
cuff

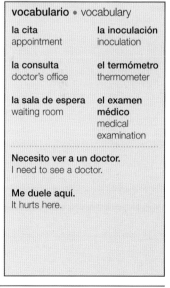

vocabulario • vocabulary

la cita appointment	la inoculación inoculation
la consulta doctor's office	el termómetro thermometer
la sala de espera waiting room	el examen médico medical examination

Necesito ver a un doctor.
I need to see a doctor.

Me duele aquí.
It hurts here.

la lesión • injury

la torcedura | sprain

el cabestrillo
sling

la fractura
fracture

el collarín
neck brace

el tirón en el cuello
whiplash

la cortada (ᶜel corte)
cut

la raspada (ᶜel arañazo)
graze

el moretón (ᶜel hematoma)
bruise

la astilla
splinter

la ardida (ᶜla quemadura de sol)
sunburn

la quemadura
burn

el mordisco
bite

la picadura
sting

vocabulary • vocabulary

el accidente accident	**la hemorragia** hemorrhage	**la conmoción** concussion	**¿Se pondrá bien?** Will he/she be all right?
la herida wound	**la ampolla** blister	**el envenenamiento** poisoning	**Por favor llame a una ambulancia.** Please call an ambulance.
la emergencia (ᶜla urgencia) emergency	**la lesión en la cabeza** head injury	**el shock eléctrico** (ᶜla descarga eléctrica) electric shock	**¿Dónde le duele?** Where does it hurt?

los primeros auxilios • first aid

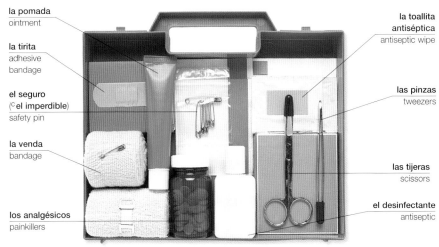

la pomada
ointment

la tirita
adhesive bandage

el seguro
(^c el imperdible)
safety pin

la venda
bandage

los analgésicos
painkillers

la toallita antiséptica
antiseptic wipe

las pinzas
tweezers

las tijeras
scissors

el desinfectante
antiseptic

el botiquín | first aid kit

la gasa
gauze

el vendaje
dressing

la tablilla | splint

la tela adhesiva
(^c el esparadrapo)
adhesive tape

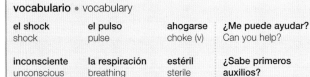

la reanimación
resuscitation

vocabulario • vocabulary			
el shock	el pulso	ahogarse	¿Me puede ayudar?
shock	pulse	choke (v)	Can you help?
inconsciente	la respiración	estéril	¿Sabe primeros auxilios?
unconscious	breathing	sterile	Do you know first aid?

el hospital • hospital

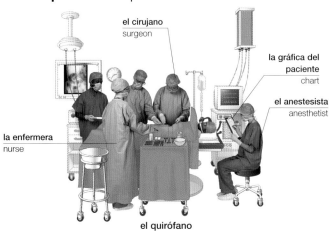

el cirujano
surgeon

la gráfica del
paciente
chart

el anestesista
anesthetist

la enfermera
nurse

el quirófano
operating room

el análisis de sangre
blood test

la inyección
injection

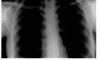

la radiografía
x-ray

el ultrasonido
(ᶜla ecografía)
scan

la camilla
gurney

la sala de urgencias
emergency room

el timbre
call button

la planta
ward

la silla de ruedas
wheelchair

vocabulario • vocabulary

la operación operation	**dado de alta** discharged	**las horas de visita** visiting hours	**la sala de maternidad** maternity ward	**la unidad de cuidados intensivos** intensive care unit
internado (ᶜ**ingresado**) admitted	**la clínica** clinic	**la sala de pediatría** children's ward	**la habitación privada** private room	**el paciente externo** outpatient

los servicios • departments

la otorrinonaringología
Ear, Nose, and Throat

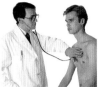
la cardiología
cardiology

la ortopedia
orthopedics

la ginecología
gynecology

la fisioterapia
physiotherapy

la dermatología
dermatology

la pediatría
pediatrics

la radiología
radiology

la cirugía
surgery

la maternidad
maternity

la psiquiatría
psychiatry

la oftalmología
ophthalmology

---

vocabulario • vocabulary

la neurología neurology	**la urología** urology	**la cirugía plástica** plastic surgery	**la patología** pathology	**el resultado** result
la oncología oncology	**la endocrinología** endocrinology	**la referencia** (ᶜ**el volante**) referral	**el análisis** test	**el especialista** consultant

---

el dentista • dentist

el diente • tooth

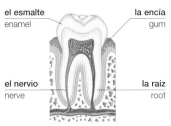

el esmalte — enamel
la encía — gum
el nervio — nerve
la raíz — root

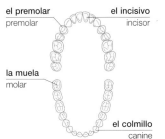

el premolar — premolar
el incisivo — incisor
la muela — molar
el colmillo — canine

vocabulario • vocabulary

el dolor de muelas toothache	el hilo dental dental floss
la placa bacteriana plaque	la extracción extraction
la caries decay	la corona crown
el empaste filling	el torno del dentista drill

la revisión • check-up

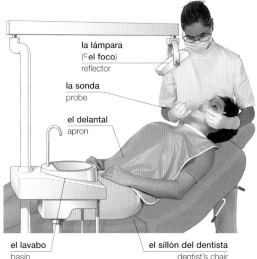

la lámpara (ᶜel foco) — reflector
la sonda — probe
el delantal — apron
el lavabo — basin
el sillón del dentista — dentist's chair

usar el hilo dental
floss (v)

cepillarse los dientes
brush (v)

los frenos (ᶜel aparato corrector)
braces

los rayos x dentales
dental x-ray

la radiografía
x-ray film

la dentadura postiza
dentures

el óptico • optician

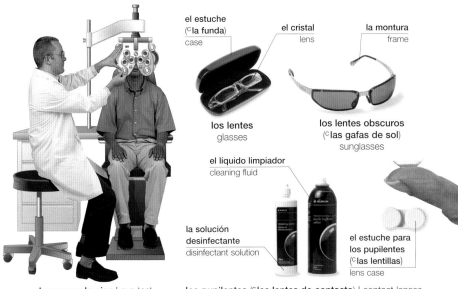

el estuche
(ᶜla funda)
case

el cristal
lens

la montura
frame

los lentes
glasses

los lentes obscuros
(ᶜlas gafas de sol)
sunglasses

el líquido limpiador
cleaning fluid

la solución
desinfectante
disinfectant solution

el estuche para
los pupilentes
(ᶜlas lentillas)
lens case

el examen de ojos | eye test

los pupilentes (ᶜlas lentes de contacto) | contact lenses

el ojo • eye

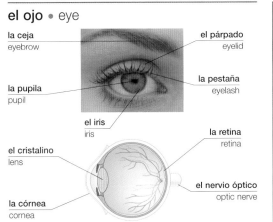

la ceja
eyebrow

el párpado
eyelid

la pestaña
eyelash

la pupila
pupil

el iris
iris

la retina
retina

el cristalino
lens

el nervio óptico
optic nerve

la córnea
cornea

vocabulario • vocabulary	
la vista vision	el astigmatismo astigmatism
la dioptría diopter	la hipermetropía farsighted
la lágrima tear	la miopía nearsighted
la catarata cataract	bifocal bifocal

el embarazo • pregnancy

la enfermera
nurse

la prueba del embarazo
pregnancy test

el ultrasonido
(ᶜla ecografía)
scan

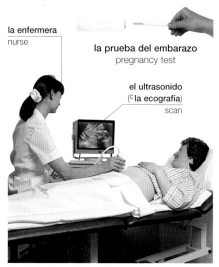

el ultrasonido | ultrasound

la placenta
placenta

el cordón
umbilical
umbilical cord

el cuello uterino
cervix

el útero
uterus

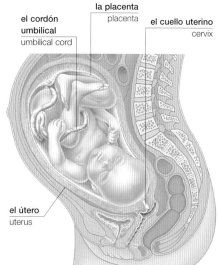

el feto | fetus

---

vocabulario • vocabulary

la ovulación ovulation	prenatal antenatal	la contracción contraction	la dilatación dilation	el parto delivery	prematuro premature
la concepción conception	el trimestre trimester	romper aguas break water (v)	la epidural epidural	el nacimiento birth	el ginecólogo gynecologist
embarazada (ᶜencinta) expectant	el embrión embryo	el líquido amniótico amniotic fluid	la cesárea cesarean section	el aborto espontáneo miscarriage	el obstetra (ᶜel tocólogo) obstetrician
embarazada pregnant	la matriz womb	la amniocentesis amniocentesis	la episiotomía episiotomy	las puntadas (ᶜlos puntos) stitches	de espaldas (ᶜde nalgas) breech

---

el parto • childbirth

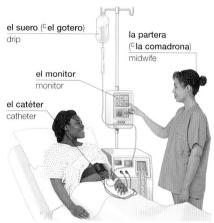

el suero (^Cel gotero)
drip

la partera
(^Cla comadrona)
midwife

el monitor
monitor

el catéter
catheter

inducir el parto
induce labour (v)

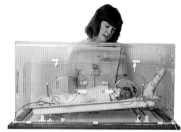

la incubadora | incubator

la báscula
scales

el peso al nacer | birth weight

los fórceps
forceps

la ventosa
suction cup

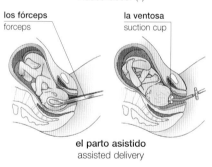

el parto asistido
assisted delivery

la pulsera de identificación
identity tag

el recién nacido
newborn baby

la lactancia • nursing

el tiraleches
(^Cel sacaleches)
breast pump

el brassiere (^Cel
sujetador) para
la lactancia
nursing bra

amamantar
(^Cdar el pecho)
breastfeed (v)

los discos protectores
pads

las terapias alternativas • alternative therapy

el profesor
teacher

el masaje
massage

el shiatsu
shiatsu

el yoga | yoga

la colchoneta
mat

la meditación
meditation

la quiropráctica
chiropractic

la osteopatía
osteopathy

la reflexología
reflexology

el terapeuta
counselor

la terapia de grupo
group therapy

el reiki
reiki

la acupuntura
acupuncture

la ayurveda
ayurveda

la hipnoterapia
hypnotherapy

los aceites esenciales
essential oils

el herbolario
herbalism

la aromaterapia
aromatherapy

la homeopatía
homeopathy

la acupresión
acupressure

la terapeuta
therapist

la psicoterapia
psychotherapy

vocabulario • vocabulary

la cristaloterapia crystal healing	**la naturopatía** naturopathy	**la relajación** relaxation	**la hierba** herb
la hidroterapia hydrotherapy	**el feng shui** feng shui	**el estrés** stress	**el suplemento** supplement

la casa
home

la casa • house

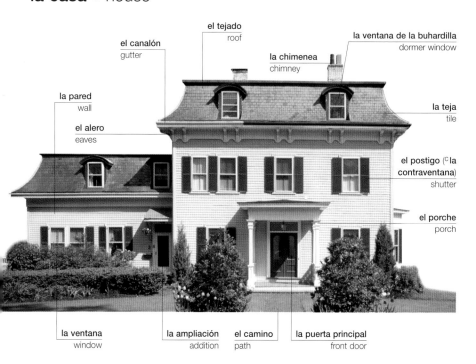

el tejado
roof

el canalón
gutter

la chimenea
chimney

la ventana de la buhardilla
dormer window

la pared
wall

la teja
tile

el alero
eaves

el postigo (ᶜla contraventana)
shutter

el porche
porch

la ventana
window

la ampliación
addition

el camino
path

la puerta principal
front door

vocabulario • vocabulary

(condominio) horizontal row (house)	**la casa de la ciudad** townhouse	**la cochera** (ᶜel garaje) garage	**la luz del porche** porch light	**la alarma antirrobo** burglar alarm	**rentar** (ᶜalquilar) rent (v)
solo single-family	**el sótano** basement	**el ático** attic	**el piso** floor	**el buzón** mailbox	**el inquilino** tenant
dúplex duplex	**la vivienda de una planta** bungalow	**el cuarto** (ᶜla habitación) room	**el patio** courtyard	**el propietario** landlord	**la renta** (ᶜel alquiler) rent

la entrada • entrance

el **pasamanos**
hand rail

la **escalera**
staircase

el **descanso**
(ᶜel **descansillo**)
landing

el **barandal**
(ᶜla **barandilla**)
banister

el **vestíbulo**
hallway

el departamento (ᶜel piso) • apartment

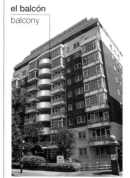

el **balcón**
balcony

el **edificio**
apartment block

el **interfono**
intercom

el **elevador** (ᶜel **ascensor**)
elevator

el **timbre**
doorbell

el **tapete** (ᶜel **felpudo**)
doormat

la **aldaba**
door knocker

la **cadena**
door chain

la **llave**
key

la **cerradura**
lock

el **cerrojo**
bolt

las instalaciones internas • internal systems

el radiador
radiator

el calentador (ᶜla estufa)
space heater

el aspa
blade

el ventilador
fan

el calentador de
convección
portable heater

la electricidad • electricity

el filamento
filament

el portalámparas
threads

el foco (ᶜla bombilla)
light bulb

la toma de tierra
ground

la clavija
prong

el enchufe (macho)
plug

con corriente
hot

neutro
neutral

los cables
wires

---

vocabulario • vocabulary

el voltaje voltage	el generador generator	el enchufe (hembra) socket	la corriente continua direct current	el transformador transformer
el amperio amp	el fusible fuse	el interruptor switch	el contador de la luz electric meter	el suministro de electricidad household current
la corriente eléctrica power	la caja de los fusibles fuse box	la corriente alterna alternating current	el corte de luz power outage	

---

la fontanería • plumbing

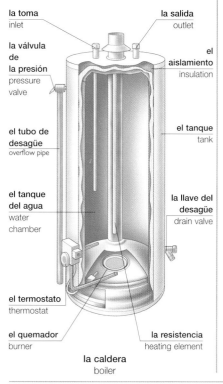

la toma
inlet

la salida
outlet

la válvula de la presión
pressure valve

el aislamiento
insulation

el tubo de desagüe
overflow pipe

el tanque
tank

el tanque del agua
water chamber

la llave del desagüe
drain valve

el termostato
thermostat

el quemador
burner

la resistencia
heating element

la caldera
boiler

el fregador • sink

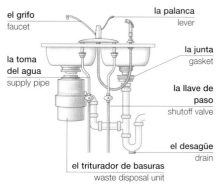

el grifo
faucet

la palanca
lever

la junta
gasket

la toma del agua
supply pipe

la llave de paso
shutoff valve

el desagüe
drain

el triturador de basuras
waste disposal unit

el retrete • toilet

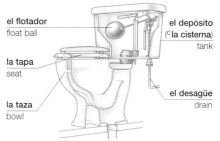

el flotador
float ball

el depósito
(ᶜ la cisterna)
tank

la tapa
seat

la taza
bowl

el desagüe
drain

la eliminación de desechos • waste disposal

la botella
bottle

la tapa
lid

el pedal
pedal

el cubo para reciclar
recycling bin

el cubo de la basura
trash can

el armario para clasificar la basura
sorting unit

los desperdicios orgánicos
organic waste

la sala (^C el cuarto de estar) • living room

el cuadro
painting

el marco
frame

la lámpara
lamp

el arbotante
(^C el aplique)
wall light

el reloj
clock

el techo
ceiling

la vitrina
(^C el armario)
cabinet

el sofá
sofa

el cojín
pillow

la mesa de
centro (^C la
mesa de café)
coffee table

el piso
(^C el suelo)
floor

español • english

el espejo
mirror

el jarrón
vase

la repisa de la
chimenea
mantelpiece

la chimenea
fireplace

el biombo
screen

la vela
candle

el librero
(ᶜla estantería)
bookshelf

el sofá-cama
sofabed

el tapete
(ᶜla alfombra)
rug

la cortina
curtain

el visillo
net curtain

la persiana (ᶜel estor
de láminas)
venetian blind

el estor
roller blind

la moldura
molding

el sillón
armchair

el estudio (ᶜel despacho) | study

el comedor • dining room

la pimienta
pepper

la sal
salt

la mesa
table

la vajilla
crockery

los cubiertos
cutlery

la silla
chair

el respaldo
back

el asiento
seat

la pata
leg

---

vocabulario • vocabulary

servir serve (v)	**la comida** meal	**el desayuno** breakfast	**hambriento** hungry	**el anfitrión** host	**Estaba riquísimo.** (ᶜ**Estaba buenísimo.**) That was delicious.
comer eat (v)	**el mantel** tablecloth	**la comida** lunch	**lleno** full	**la anfitriona** hostess	**Estoy lleno, gracias.** I've had enough, thank you.
poner la mesa set the table (v)	**el mantel individual** place mat	**la cena** dinner	**la ración** portion	**el invitado** guest	**¿Puedo comer otro poco?** (ᶜ**¿Puedo repetir?**) May I have some more?

la vajilla y los cubiertos • crockery and cutlery

la cucharilla de café
teaspoon

la taza
mug

la taza de café
coffee cup

la taza de té
teacup

el plato
plate

el plato sopero
(ᶜel bol)
bowl

la copa de vino
wine glass

el vaso
tumbler

**la cafetera
de émbolo**
French press

la tetera
teapot

la jarra
pitcher

la taza para el huevo
(ᶜla huevera)
egg cup

la cristalería
glassware

el servilletero
napkin ring

el plato del pan
dessert plate

el plato
(ᶜel plato llano)
dinner plate

el plato
sopero
soup bowl

la cuchara sopera
soup spoon

la servilleta
napkin

el tenedor
fork

el lugar en la mesa
place setting

la cuchara
spoon

el cuchillo
knife

la cocina • kitchen

el extractor
ventilation hood

los estantes
shelves

la placa vitro-
cerámica
ceramic
stovetop

el frente de la
cocina
splashback

el grifo
faucet

la plancha
(^C la encimera)
countertop

el fregadero
sink

el horno
oven

la gaveta
(^C el armario)
cabinet

el cajón
drawer

los electrodomésticos • appliances

el microondas
microwave oven

el recipiente (^C el
cuenco mezclador)
work bowl

la tapa
lid

la cuchilla
blade

la jarra para hervir
(^C el hervidor)
tea kettle

el tostador
toaster

el multimezclador
(^C el robot de cocina)
food processor

la licuadora
blender

la lavavajilla
(^C el friegaplatos)
dishwasher

la máquina de los hielos
ice maker

el congelador
freezer

el refrigerador
(ᶜel frigorífico)
refrigerator

la charola
(ᶜel estante)
shelf

el cajón de las verduras
crisper

el refrigerador (ᶜfrigorífico) congelador | refrigerator-freezer

vocabulario • vocabulary

el escurridor	congelar
draining board	freeze (v)
el quemador	descongelar
burner	defrost (v)
el bote de basura	cocer al vapor
garbage can	steam (v)
	saltear
la hornilla	sauté (v)
(ᶜla placa)	
stove	

cocinar • cooking

pelar
peel (v)

cortar
slice (v)

rallar
grate (v)

vaciar (ᶜechar)
pour (v)

mezclar
mix (v)

batir
whisk (v)

hervir
boil (v)

freír
fry (v)

amasar (ᶜextender)
con el rodillo | roll (v)

remover
stir (v)

cocer a fuego lento
simmer (v)

escalfar
poach (v)

hornear
(ᶜcocer al horno)
bake (v)

asar
roast (v)

asar a la parrilla
grill (v)

los utensilios de cocina • kitchenware

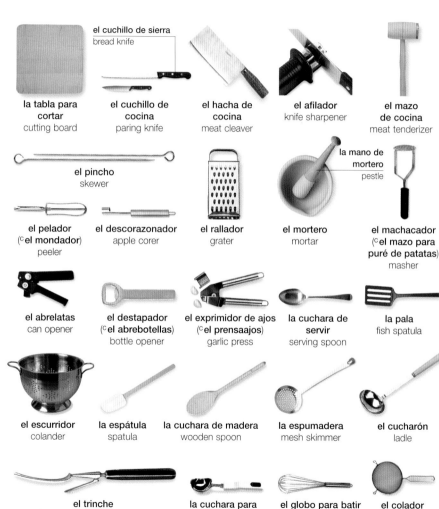

la tabla para cortar
cutting board

el cuchillo de sierra
bread knife

el cuchillo de cocina
paring knife

el hacha de cocina
meat cleaver

el afilador
knife sharpener

el mazo de cocina
meat tenderizer

el pincho
skewer

la mano de mortero
pestle

el pelador
(ᶜel mondador)
peeler

el descorazonador
apple corer

el rallador
grater

el mortero
mortar

el machacador
(ᶜel mazo para puré de patatas)
masher

el abrelatas
can opener

el destapador
(ᶜel abrebotellas)
bottle opener

el exprimidor de ajos
(ᶜel prensaajos)
garlic press

la cuchara de servir
serving spoon

la pala
fish spatula

el escurridor
colander

la espátula
spatula

la cuchara de madera
wooden spoon

la espumadera
mesh skimmer

el cucharón
ladle

el trinche
(ᶜel tenedor para trinchar)
carving fork

la cuchara para helado
ice-cream scoop

el globo para batir
(ᶜel batidor de varillas)
whisk

el colador
strainer

la tapa / lid

antiadherente / nonstick

la sartén / frying pan

la cacerola (ᶜ **el cazo**) / saucepan

la parrilla / griddle

el wok / wok

la olla (ᶜ **la cazuela**) **de barro** / earthenware dish

de cristal / glass

resistente al horno / ovenproof

la ensaladera (ᶜ **el cuenco**) / mixing bowl

el molde para suflé / soufflé dish

la fuente para gratinar / gratin dish

el molde individual / ramekin

la cazuela / casserole dish

la repostería • baking cakes

la báscula de cocina / scales

la taza medidora (ᶜ **la jarra graduada**) / measuring cup

el molde para pastel (ᶜ **bizcocho**) / cake pan

el molde redondo / pie pan

la flanera / flan pan

la brocha de cocina / pastry brush

el rodillo de cocina / rolling pin

la dulla (ᶜ **la manga pastelera**) / piping bag

el molde para panqués (ᶜ **magdalenas**) / muffin pan

la charola (ᶜ **la bandeja**) **de horno** / cookie sheet

la rejilla / cooling rack

el guante (ᶜ **la manopla**) **de cocina** / oven mitt

el delantal / apron

la recámara • bedroom

el armario
wardrobe

la lámpara del buró (ᶜ**de la mesilla**)
bedside lamp

la cabecera (ᶜ**el cabecero**)
headboard

el buró (ᶜ**la mesilla de noche**)
nightstand

la cómoda
chest of drawers

el cajón	**la cama**	**el colchón**	**la colcha**	**la almohada**
drawer	bed	mattress	bedspread	pillow

la bolsa de agua caliente
hot-water bottle

la radio despertador
clock radio

el reloj despertador
alarm clock

la caja de pañuelos desechables
box of tissues

el gancho (ᶜ**la percha**)
coat hanger

la ropa de cama • bed linen

el espejo
mirror

el tocador
vanity table

la funda de la
almohada
pillowcase

la sábana
sheet

el cubrecanapé
valance

el edredón
comforter

la colcha
quilt

el suelo
floor

la cobija
(ᶜla manta)
blanket

---

vocabulario • vocabulary

la cama individual single bed	**el pie de la cama** (ᶜ**el estribo**) footboard	**el insomnio** insomnia	**despertarse** wake up (v)	**roncar** snore (v)
la cama matrimonial (ᶜ**de matrimonio**) double bed	**el resorte** (ᶜ**el muelle**) box spring	**acostarse** go to bed (v) **dormirse** go to sleep (v)	**levantarse** get up (v) **hacer la cama** make the bed (v)	**poner el despertador** set the alarm (v)
la cobija (ᶜ**la manta**) **eléctrica** electric blanket	**el tapete** (ᶜ**la moqueta**) carpet			**el armario empotrado** closet

---

el cuarto de baño • bathroom

el toallero
towel rack

la puerta de la
regadera (ᶜducha)
shower door

la llave (ᶜel grifo)
de agua fría
cold faucet

la llave (ᶜel grifo)
de agua caliente
hot faucet

la piña de la
regadera
(ᶜla alcachofa
de la ducha)
shower head

el lavabo
sink

la regadera
(ᶜla ducha)
shower

el tapón
stopper

el desagüe
drain

la tapa del
excusado
(ᶜdel wáter)
toilet seat

el excusado
(ᶜel wáter)
toilet

la escobilla
del excusado
(ᶜdel wáter)
toilet brush

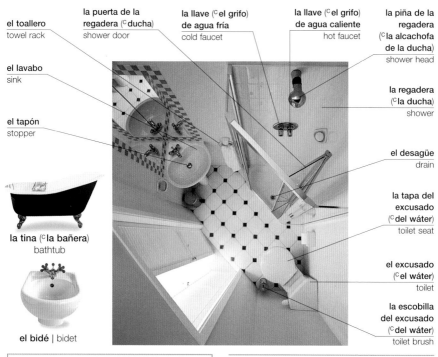

la tina (ᶜla bañera)
bathtub

el bidé | bidet

---

vocabulario • vocabulary

el botiquín (ᶜel armario
de las medicinas)
medicine cabinet

el tapete (ᶜla
alfombrilla de baño)
bathmat

el rollo de papel
higiénico
toilet paper

la cortina de la
regadera (ᶜ de ducha)
shower curtain

bañarse (ᶜdarse una
ducha)
take a shower (v)

darse un baño
take a bath (v)

la higiene dental • dental hygiene

el cepillo de dientes
toothbrush

la pasta de dientes
toothpaste

el hilo
dental
dental floss

el enjuague bucal
mouthwash

---

el zacate (^Cla
esponja de luffa)
loofah

la esponja
sponge

la piedra pómez
pumice stone

**el cepillo para la
espalda**
back brush

el desodorante
deodorant

la jabonera
soap dish

el shampoo para el cuerpo
(^Cel gel de ducha)
shower gel

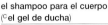

el jabón
soap

la crema para la cara
face cream

el gel de baño
bubble bath

la toalla de mano
(^Cde lavabo)
hand towel

la toalla de
baño
bath towel

las toallas
towels

la crema para el cuerpo
(^Cla leche del cuerpo)
body lotion

el talco (^Clos
polvos de talco)
talcum powder

la bata
(^Cel albornoz)
bathrobe

el afeitado • shaving

la rasuradora
electric razor

la hoja de
afeitar
razor blade

la espuma de afeitar
shaving cream

**la navaja de
afeitar desechable**
disposable razor

el aftershave
aftershave

la habitación de los niños • nursery

el cuidado del bebé • baby care

la crema para las rozaduras (ᶜ las escoceduras)
diaper rash cream

la esponja
sponge

la toallita húmeda
wet wipe

la tina de plástico
baby bath

el orinal
potty

el cambiador
changing mat

la hora de dormir • sleeping

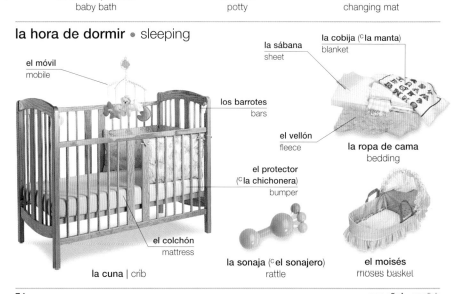

el móvil
mobile

la sábana
sheet

la cobija (ᶜ la manta)
blanket

los barrotes
bars

el vellón
fleece

la ropa de cama
bedding

el protector (ᶜ la chichonera)
bumper

el colchón
mattress

la cuna | crib

la sonaja (ᶜ el sonajero)
rattle

el moisés
moses basket

los juegos • playing

la muñeca
doll

el muñeco de peluche
stuffed toy

la casa de muñecas
dollhouse

la casa de juguete
playhouse

el oso de peluche
teddy bear

el juguete
toy

el cesto de los juguetes
toy basket

la pelota
ball

el corral (ᶜel parque)
playpen

la seguridad • safety

el cierre de seguridad
child latches

el intercomunicador
(ᶜel escuchabebés)
baby monitor

la barrera de
seguridad
stair gate

la comida • eating

la periquera (ᶜla trona)
high chair

el chupón
(ᶜla tetina)
nipple

la taza
drinking cup

la mamila (ᶜel biberón)
bottle

el paseo • going out

la carriola
(ᶜla silleta de paseo)
stroller

la capota
hood

la carriola
(ᶜel cochecito de niños)
baby buggy

el bambineto
bassinet

el pañal
diaper

la pañalera
diaper bag

la cangurera (ᶜla mochila
de bebé) I front pack

la lavandería (^Cel lavadero) • utility room

la colada • laundry

la ropa sucia
dirty laundry

la ropa limpia
clean clothes

el cesto de la ropa sucia
(^C**de la colada**)
laundry basket

la lavadora
washing machine

la lavadora secadora
washer-dryer

la secadora
tumble dryer

el cesto de la ropa para planchar
linen basket

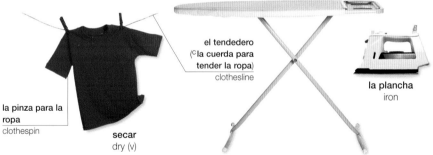

el tendedero
(^C**la cuerda para tender la ropa**)
clothesline

la plancha
iron

la pinza para la ropa
clothespin

secar
dry (v)

el burro (^C**la tabla**) **de la plancha** | ironing board

---

vocabulario • vocabulary

cargar load (v)	**centrifugar** spin (v)	**planchar** iron (v)	**¿Cómo funciona la lavadora?** How do I operate the washing machine?
aclarar rinse (v)	**la centrífuga** (^C**la centrifugadora**) spin dryer	**el suavizante** fabric conditioner	**¿Cuál es el programa para la ropa de color/blanca?** What is the setting for colors/whites?

el equipo de limpieza • cleaning equipment

el tubo de la aspiradora
suction hose

el cepillo
brush

el recogedor
dustpan

la lejía
bleach

el cubo
pail

en polvo
powder

líquido
liquid

el sacudidor
(ᶜ**el trapo del polvo**)
dust cloth

la aspiradora
vacuum cleaner

el trapeador (ᶜ**la fregona**)
mop

el detergente
detergent

la cera
polish

las acciones • activities

limpiar
clean (v)

fregar
wash (v)

trapear (ᶜ**pasar la bayeta**)
wipe (v)

restregar
scrub (v)

raspar
scrape (v)

la escoba
broom

barrer
sweep (v)

sacudir (ᶜ**limpiar el polvo**)
dust (v)

pulir (ᶜ**sacar brillo**)
polish (v)

el taller • workshop

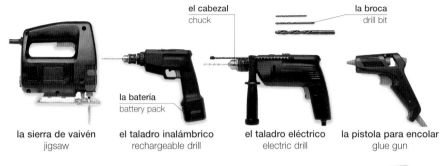

el cabezal
chuck

la broca
drill bit

la batería
battery pack

la sierra de vaivén
jigsaw

el taladro inalámbrico
rechargeable drill

el taladro eléctrico
electric drill

la pistola para encolar
glue gun

la abrazadera
clamp

la cuchilla
blade

el tornillo (ᶜel torno)
de banco | vise

la lijadora
sander

la sierra circular
circular saw

el banco de trabajo
workbench

el pegamento (ᶜla
cola) de carpintero
wood glue

el organizador de
las herramientas
tool rack

la guimbarda
router

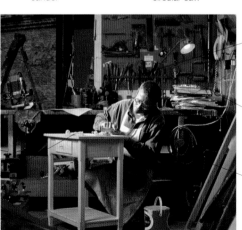

el taladro manual
bit brace

las virutas de madera
wood shavings

la extensión
(ᶜel alargador)
extension cord

las técnicas • techniques

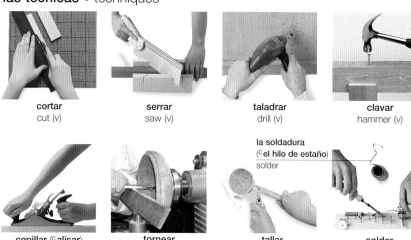

cortar
cut (v)

serrar
saw (v)

taladrar
drill (v)

clavar
hammer (v)

la soldadura
(ᶜel hilo de estaño)
solder

cepillar (ᶜalisar)
plane (v)

tornear
turn (v)

tallar
carve (v)

soldar
solder (v)

los materiales • materials

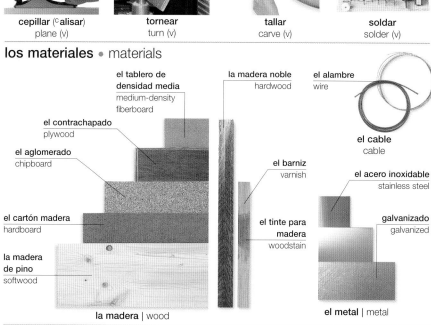

el tablero de densidad media
medium-density fiberboard

el contrachapado
plywood

el aglomerado
chipboard

el cartón madera
hardboard

la madera de pino
softwood

la madera noble
hardwood

el barniz
varnish

el tinte para madera
woodstain

la madera | wood

el alambre
wire

el cable
cable

el acero inoxidable
stainless steel

galvanizado
galvanized

el metal | metal

la caja de las herramientas • toolbox

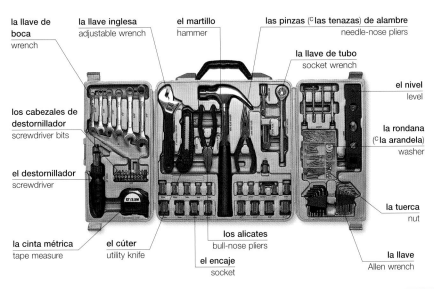

la llave de
boca
wrench

la llave inglesa
adjustable wrench

el martillo
hammer

las pinzas (^Clas tenazas) de alambre
needle-nose pliers

la llave de tubo
socket wrench

el nivel
level

los cabezales de
destornillador
screwdriver bits

la rondana
(^Cla arandela)
washer

el destornillador
screwdriver

la tuerca
nut

la cinta métrica
tape measure

el cúter
utility knife

los alicates
bull-nose pliers

el encaje
socket

la llave
Allen wrench

las brocas • drill bits

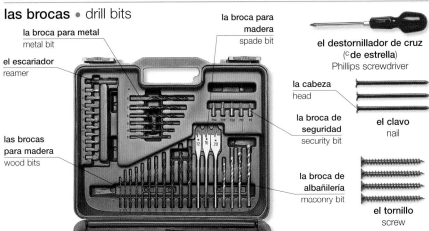

la broca para metal
metal bit

la broca para
madera
spade bit

el destornillador de cruz
(^Cde estrella)
Phillips screwdriver

el escariador
reamer

la cabeza
head

la broca de
seguridad
security bit

el clavo
nail

las brocas
para madera
wood bits

la broca de
albañilería
masonry bit

el tornillo
screw

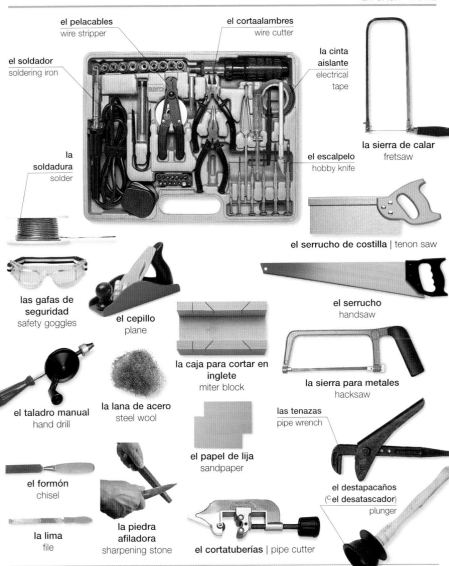

el pelacables
wire stripper

el cortaalambres
wire cutter

el soldador
soldering iron

la cinta aislante
electrical tape

la soldadura
solder

la sierra de calar
fretsaw

el escalpelo
hobby knife

el serrucho de costilla | tenon saw

las gafas de seguridad
safety goggles

el cepillo
plane

el serrucho
handsaw

el taladro manual
hand drill

la lana de acero
steel wool

la caja para cortar en inglete
miter block

la sierra para metales
hacksaw

el formón
chisel

el papel de lija
sandpaper

las tenazas
pipe wrench

la piedra afiladora
sharpening stone

el destapacaños
(ᶜ el desatascador)
plunger

la lima
file

el cortatuberías | pipe cutter

la decoración • decorating

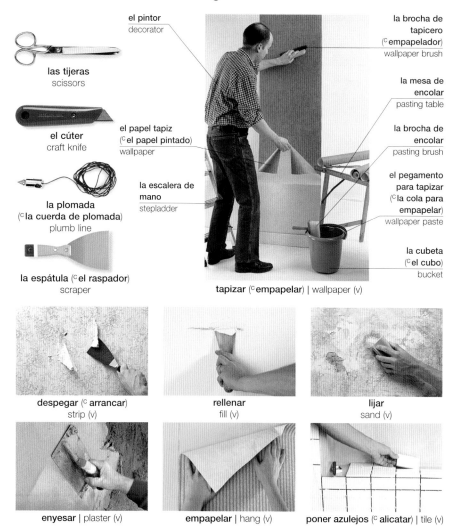

las tijeras
scissors

el pintor
decorator

la brocha de
tapicero
(ᶜempapelador)
wallpaper brush

la mesa de
encolar
pasting table

el cúter
craft knife

el papel tapiz
(ᶜel papel pintado)
wallpaper

la brocha de
encolar
pasting brush

la plomada
(ᶜla cuerda de plomada)
plumb line

la escalera de
mano
stepladder

el pegamento
para tapizar
(ᶜla cola para
empapelar)
wallpaper paste

la espátula (ᶜel raspador)
scraper

la cubeta
(ᶜel cubo)
bucket

tapizar (ᶜ**empapelar**) | wallpaper (v)

despegar (ᶜ **arrancar**)
strip (v)

rellenar
fill (v)

lijar
sand (v)

enyesar | plaster (v)

empapelar | hang (v)

poner azulejos (ᶜ **alicatar**) | tile (v)

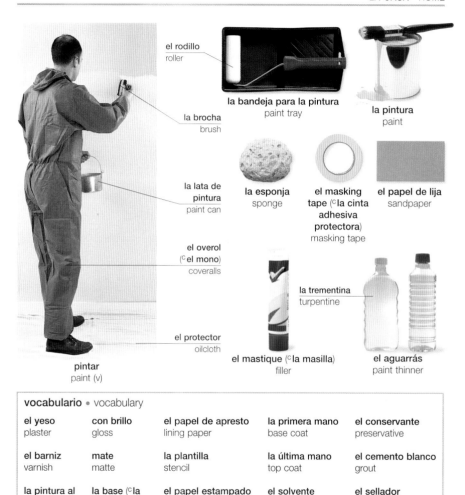

el rodillo
roller

la bandeja para la pintura
paint tray

la pintura
paint

la brocha
brush

la lata de pintura
paint can

la esponja
sponge

el masking tape (ᶜla cinta adhesiva protectora)
masking tape

el papel de lija
sandpaper

el overol (ᶜel mono)
coveralls

la trementina
turpentine

el protector
oilcloth

el mastique (ᶜla masilla)
filler

el aguarrás
paint thinner

pintar
paint (v)

vocabulario • vocabulary

el yeso plaster	**con brillo** gloss	**el papel de apresto** lining paper	**la primera mano** base coat	**el conservante** preservative
el barniz varnish	**mate** matte	**la plantilla** stencil	**la última mano** top coat	**el cemento blanco** grout
la pintura al agua latex paint	**la base** (ᶜla imprimación) primer	**el papel estampado en relieve** embossed paper	**el solvente** (ᶜel disolvente) solvent	**el sellador** (ᶜel sellante) sealant

el jardín • garden

los estilos de jardín • garden styles

el patio con jardín (ᶜ**la terraza ajardinada**)
patio garden

el jardín clásico | formal garden

el jardín campestre
English garden

el jardín de plantas
herbáceas
herb garden

el jardín en la azotea
roof garden

la rocalla
rock garden

el patio
courtyard

el jardín acuático
water garden

la cesta colgante
hanging basket

la enredadera (ᶜ**la**
espaldera) | trellis

la pérgola
arbor

la terraza
patio

la composta
compost heap

el camino
path

el portón
(ᶜ la puerta)
gate

el parterre
flowerbed

el césped
lawn

el estanque
pond

el seto
hedge

el arco
arch

el huerto
vegetable
garden

el arriate de plantas
herbáceas
herbaceous border

la valla
fence

el invernadero
greenhouse

el cobertizo
shed

el entarimado
deck

la fuente | fountain

la tierra • soil

la capa superior
de la tierra
topsoil

la arena
sand

la creta
chalk

el cieno
silt

la arcilla
clay

las plantas de jardín • garden plants

los tipos de plantas • types of plants

anual
annual

bienal
biennial

perenne
perennial

el bulbo
bulb

el helecho
fern

el junco
cattail

el bambú
bamboo

las malas hierbas
weeds

la hierba
herb

la planta acuática
water plant

el árbol
tree

la palmera
palm

la conífera
conifer

de hoja perenne
evergreen

de hoja caduca
deciduous

as plantas podadas
con formas
topiary

la planta alpestre
alpine

la planta suculenta
succulent

el cactus
cactus

la planta de maceta
potted plant

la planta de sombra
shade plant

la planta
trepadora
climber

el arbusto de
flor
flowering shrub

a planta para
cubrir suelo
ground cover

la planta trepadora
creeper

ornamental
ornamental

el pasto
(ᶜel césped)
grass

las herramientas de jardinería • gardening tools

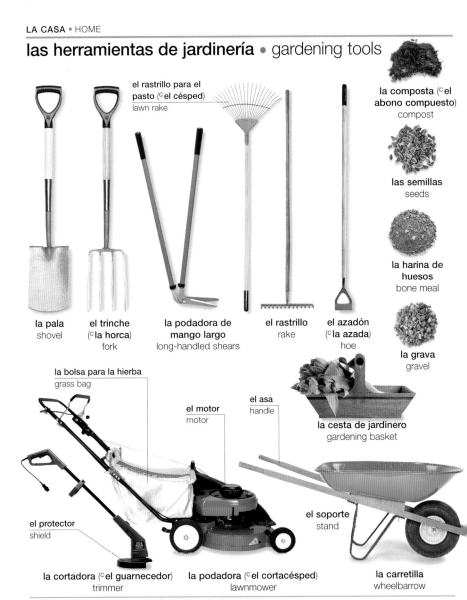

el rastrillo para el
pasto (^{c}el césped)
lawn rake

la composta (^{c}el
abono compuesto)
compost

las semillas
seeds

la harina de
huesos
bone meal

la pala
shovel

el trinche
(^{c}la horca)
fork

la podadora de
mango largo
long-handled shears

el rastrillo
rake

el azadón
(^{c}la azada)
hoe

la grava
gravel

la bolsa para la hierba
grass bag

el motor
motor

el asa
handle

la cesta de jardinero
gardening basket

el protector
shield

el soporte
stand

la cortadora (^{c}el guarnecedor)
trimmer

la podadora (^{c}el cortacésped)
lawnmower

la carretilla
wheelbarrow

el trinche (ᶜla horquilla)
hand fork

la pala pequeña
trowel

la hoja
blade

las tijeras (ᶜla cizalla)
shears

la sierra de mano
hand saw

las podadoras (ᶜlas tijeras de podar)
pruning shears

el semillero
seed tray

el pesticida
pesticide

los guantes de jardín
gardening gloves

el hilo de bramante
twine

las etiquetas
labels

el alambre
twist ties

las anillas
ring ties

las cañas
canes

la criba
sieve

la maceta
plant pot

las botas de goma
rubber boots

el riego • watering

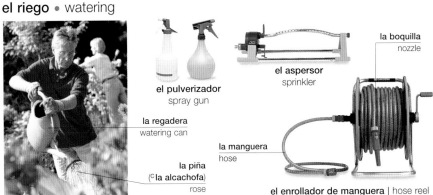

el pulverizador
spray gun

la regadera
watering can

la piña (ᶜla alcachofa)
rose

el aspersor
sprinkler

la boquilla
nozzle

la manguera
hose

el enrollador de manguera | hose reel

la jardinería • gardening

el pasto
(ᶜel césped)
lawn

el seto
hedge

el parterre
flowerbed

la podadora
(ᶜel corta-
césped)
lawnmower

la estaca
stake

cortar el césped | mow (v)

poner césped
turf (v)

**hacer agujeros con la
trinche** (ᶜla horquilla)
spike (v)

rastrillar
rake (v)

podar
trim (v)

cavar
dig (v)

sembrar
sow (v)

abonar en la superficie
top dress (v)

regar
water (v)

la caña
cane

guiar
train (v)

quitar las flores muertas
deadhead (v)

rociar
spray (v)

el esqueje
cutting

injertar
graft (v)

propagar
propagate (v)

podar
prune (v)

apuntalar
stake (v)

transplantar
transplant (v)

escardar
weed (v)

cubrir la tierra
mulch (v)

cosechar
harvest (v)

vocabulario • vocabulary

cultivar cultivate (v)	**diseñar** landscape (v)	**abonar** fertilize (v)	**cribar** sieve (v)	**el drenaje** drainage	**el plantón** seedling	**el subsuelo** subsoil
cuidar tend (v)	**plantar en tiesto** pot (v)	**coger** pick (v)	**airear** aerate (v)	**orgánico** (°**biológico**) organic	**el abono** fertilizer	**el herbicida** weedkiller

los servicios
services

los servicios de emergencia • emergency services

la ambulancia • ambulance

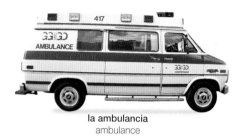

la camilla
stretcher

la ambulancia
ambulance

el paramédico (^cel ambulancero)
paramedic

la policía • police

la placa
badge

el uniforme
uniform

la sirena
siren

las luces
lights

la macana
(^cla porra
nightstick

la pistola
gun

las esposas
handcuffs

la patrulla (^cel coche de policía)
police car

la estación de policía
police station

el policía (^cel agente de policía)
police officer

vocabulario • vocabulary

el inspector captain	el robo burglary	la denuncia complaint	el arresto arrest
el detective detective	la agresión assault	la investigación investigation	la celda lockup
el crimen crime	huella digital (^cdactilar) fingerprint	el sospechoso suspect	el cargo charge

los bomberos • fire department

el casco
helmet

el humo
smoke

la manguera
hose

los bomberos
firefighters

la cesta
cherry picker

el chorro de
agua
water jet

la cabina
cab

el brazo
boom

la escalera
ladder

el incendio | fire

la estación (ᶜel
parque) de bomberos
fire station

la escalera (ᶜla
salida) de incendios
fire escape

el carro (ᶜel coche) de bomberos
fire engine

el detector de
humo
smoke alarm

la alarma contra
incendios
fire alarm

el hacha
ax

el extintor
fire extinguisher

la bomba (ᶜla
boca) de agua
hydrant

Necesito la policía/los bomberos/una ambulancia. I need the police/fire department/ambulance.	**Hay un incendio en…** There's a fire at…	**Ha habido un accidente.** There's been an accident.	**¡Llame a la policía!** Call the police!

el banco • bank

el cliente
customer

la ventanilla
window

el cajero
teller

los folletos
brochures

el mostrador
counter

las fichas de
depósito (c las
hojas de ingreso)
deposit slips

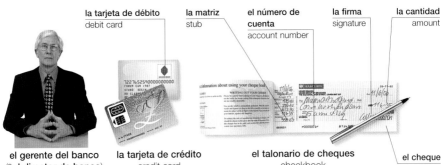

la tarjeta de débito
debit card

la matriz
stub

el número de
cuenta
account number

la firma
signature

la cantidad
amount

el gerente del banco
(c el director de banco)
branch manager

la tarjeta de crédito
credit card

el talonario de cheques
checkbook

el cheque
check

---

vocabulario • vocabulary

los ahorros savings	**la hipoteca** mortgage	**el pago** payment	**depositar** deposit (v)	**la cuenta corriente** checking account
el sobregiro (c **el descubierto**) line of credit	**la tasa** (c **el tipo**) **de interés** interest rate	**la ficha de retiro** withdrawal slip	**el pin** pin number	**la cuenta de ahorros** savings account
el préstamo loan	**los impuestos** tax	**el débito directo** (c **la domiciliación bancaria**) automatic bill payment	**la transferencia bancaria** direct deposit	**la comisión del banco** service charge

---

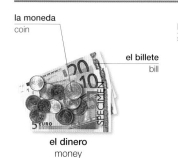

la moneda
coin

el billete
bill

el dinero
money

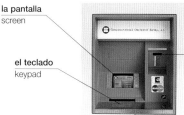

la pantalla
screen

el teclado
keypad

la ranura
de la tarjeta
card reader

el cajero automático
ATM

las divisas • foreign currency

la oficina de cambio
currency exchange

**el cheque de
viajero** (ᶜ de viaje)
traveler's check

**el tipo de
cambio**
exchange rate

las finanzas • finance

**el valor de las
acciones**
stock price

**el agente de
bolsa**
stockbroker

la asesora financiera
financial advisor

la bolsa de valores
stock exchange

---

vocabulario • vocabulary

cobrar	**las acciones**
cash (v)	stocks
la denominación	**el contador**
(ᶜel valor nominal)	(ᶜel contable)
denomination	accountant
la comisión	**los dividendos**
commission	dividends
la inversión	**la cartera**
investment	portfolio
las acciones	**el patrimonio neto**
securities	equity

¿**Podría cambiar esto por favor?**
Can I change this, please?

¿**Cómo está el tipo de cambio
hoy?**
What's today's exchange rate?

---

las comunicaciones • communications

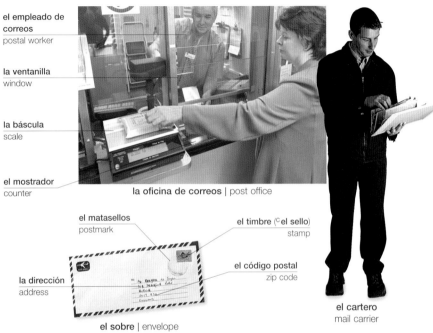

el empleado de correos
postal worker

la ventanilla
window

la báscula
scale

el mostrador
counter

la oficina de correos | post office

el matasellos
postmark

el timbre (ᶜel sello)
stamp

el código postal
zip code

la dirección
address

el cartero
mail carrier

el sobre | envelope

---

vocabulario • vocabulary

la carta letter	**la firma** signature	**el reparto** delivery	**frágil** fragile	**no doblar** do not bend (v)
por avión by airmail	**la recogida** pickup	**el franqueo** postage	**el telegrama** telegram	**hacia arriba** this way up
el correo certificado registered mail	**el remitente** (ᶜel remite) return address	**el giro postal** postal order	**la bolsa de correo** (ᶜla saca postal) mailbag	**el fax** fax

---

español • english

el buzón
mailbox

el buzón
letter slot

el paquete
parcel

la mensajería
courier

el teléfono • telephone

el auricular
handset

la base
base station

la contestadora
(^Cel contestador
automático)
answering machine

el teléfono inalámbrico
cordless phone

el videoteléfono
video phone

la cabina telefónica
phone booth

el teclado
keypad

el celular
cellular phone

el auricular
receiver

las monedas devueltas
coin return

**el teléfono de
monedas**
pay phone

el teléfono de tarjeta
card phone

---

vocabulario • vocabulary

**la información
telefónica**
directory assistance

la llamada a por cobrar
(^Ca cobro revertido)
collect call

marcar
dial (v)

**el mensaje de
texto**
text message

**el mensaje de
voz**
voice message

contestar
answer (v)

ocupado
(^Ccomunicando)
busy

desconectado
(^Capagado)
disconnected

el operador
operator

¿Me podría dar el número de...?
Can you give me the number for...?

**¿Cuál es el prefijo de larga
distancia para llamar a...?**
What is the area code for...?

el hotel • hotel
el lobby (ᶜel vestíbulo) • lobby

los mensajes
messages

el huésped
guest

la llave de la
habitación
room key

la casilla
pigeonhole

la recepcionista
receptionist

el registro
register

el mostrador
counter

la recepción | reception

el equipaje
luggage

el diablito
(ᶜel carrito)
luggage rack

el botones
porter

el elevador (ᶜel ascensor)
escaltor

**el número de la
habitación**
room number

los habitaciones • rooms

**la habitación sencilla
(ᶜindividual)**
single room

la habitación doble
double room

**la habitación con dos
camas individuales**
twin room

el baño (ᶜel cuarto de
baño) **privado**
private bathroom

los servicios • services

la charola (^Cla bandeja) del desayuno
breakfast tray

el servicio de
limpieza
maid service

el servicio de
lavandería
laundry service

el servicio de habitaciones | room service

el minibar
minibar

el restaurante
restaurant

el gimnasio
gym

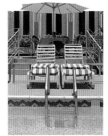

la piscina
swimming pool

---

vocabulario • vocabulary

la pensión completa
full board

la media pensión
half board

**la habitación con
desayuno incluido**
bed and breakfast

¿Tiene alguna habitación libre?
Do you have any vacancies?

**Tengo una reservación
(^Creserva).**
I have a reservation.

**Quiero una habitación
sencilla (^Cindividual).**
I'd like a single room.

Quiero una habitación para tres días.
I'd like a room for three nights.

¿Cuánto cuesta la habitación por día?
What is the charge per night?

**¿Cuándo tengo que dejar la
habitación?**
When do I have to vacate the room?

las compras
shopping

el centro comercial • shopping mall

el atrio
atrium

el letrero
sign

el elevador
(C el ascensor)
elevator

el segundo piso
(C la segunda planta)
third floor

el primer piso
(C la primera planta)
second floor

la escalera eléctrica
(C mecánica)
escalator

la planta baja
ground floor

el cliente
customer

vocabulario • vocabulary

el departamento (C la sección) de zapatería
shoe department

el departamento (C la sección) de niños
children's department

el departamento (C la sección) de equipajes
luggage department

el servicio al cliente
customer services

el directorio
store directory

el vendedor
(C el dependiente)
sales clerk

el cuarto para cambiar a los bebés
baby changing room

los probadores
fitting rooms

los baños (C los aseos)
rest room

¿Cuánto cuesta esto?
How much is this?

¿Puedo cambiar esto?
May I exchange this?

las tiendas departamentales • department store

la ropa de caballero
menswear

la ropa de dama
(ᶜde señora)
womenswear

la lencería
lingerie

la perfumería
perfumes

los cosméticos
(ᶜlos productos de
belleza)
cosmetics

los blancos (ᶜla ropa
de hogar)
linens

el mobiliario para el
hogar
home furnishings

la mercería
notions

los artículos de cocina
(ᶜel menaje de hogar)
kitchenware

las vajillas
china

los aparatos eléctricos
electronics

la iluminación
lighting

los artículos deportivos
sportswear

la juguetería
toys

la papelería
stationery

los abarrotes
(ᶜel supermercado)
groceries

el supermercado • supermarket

el pasillo
aisle

el estante
shelf

la banda (ᶜla cinta)
transportadora
checkout counter

el cajero
cashier

las ofertas
offers

la caja | checkout

el cliente
customer

la caja
cash register

la bolsa
shopping bag

la compra
groceries

el asa
handle

780863 185779
el código de barras
bar code

el carrito (ᶜel carro)
grocery cart

la canasta (ᶜla cesta)
basket

el escáner
scanner

la panadería
bakery

los lácteos
dairy

los cereales
breakfast cereals

las conservas
canned goods

la dulcería
(c**la confitería**)
candies

la verdura
vegetables

la fruta
fruits

la carne y las aves
meat and poultry

el pescado
fish

la charcutería
deli

los congelados
frozen food

los platos preparados
prepared food

las bebidas
drinks

los productos de limpieza
household products

los artículos de aseo
toiletries

los artículos para el bebé
baby products

los electrodomésticos
electrical goods

la comida para animales
pet food

las revistas | magazines

la farmacia • chemist

la higiene femenina
feminine hygiene

el cuidado dental
dental care

los desodorantes
deodorants

las vitaminas
vitamins

el dispensario
pharmacy

el farmacéutico
pharmacist

el jarabe para la tos
cough medicine

los remedios naturistas
(ᶜ de herbolario)
herbal remedies

el cuidado de la piel
skin care

la crema para
después del sol
aftersun care

la crema protectora
sunscreen

**la crema protectora
total**
sun block

el repelente de insectos
insect repellent

a toallita húmeda
wet wipe

**el pañuelo desech-
able** (ᶜ **de papel**)
tissue

las toallas femeninas
(ᶜ **la compresa**)
sanitary napkin

el tampón
tampon

el pantiprotector
(ᶜ **el salvaslip**)
panty liner

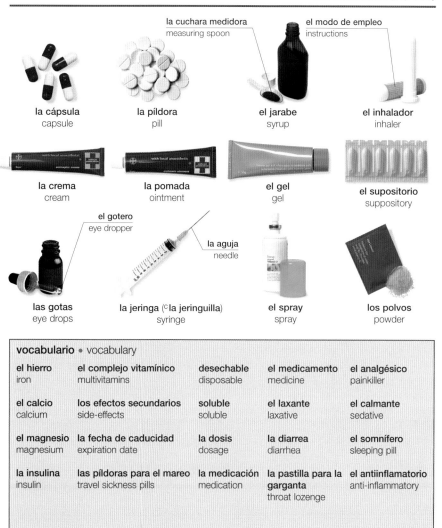

la cuchara medidora
measuring spoon

el modo de empleo
instructions

la cápsula
capsule

la píldora
pill

el jarabe
syrup

el inhalador
inhaler

la crema
cream

la pomada
ointment

el gel
gel

el supositorio
suppository

el gotero
eye dropper

la aguja
needle

las gotas
eye drops

la jeringa (ᶜla jeringuilla)
syringe

el spray
spray

los polvos
powder

vocabulario • vocabulary

el hierro iron	**el complejo vitamínico** multivitamins	**desechable** disposable	**el medicamento** medicine	**el analgésico** painkiller
el calcio calcium	**los efectos secundarios** side-effects	**soluble** soluble	**el laxante** laxative	**el calmante** sedative
el magnesio magnesium	**la fecha de caducidad** expiration date	**la dosis** dosage	**la diarrea** diarrhea	**el somnífero** sleeping pill
la insulina insulin	**las píldoras para el mareo** travel sickness pills	**la medicación** medication	**la pastilla para la garganta** throat lozenge	**el antiinflamatorio** anti-inflammatory

la florería (C la floristería) • florist

las flores
flowers

la gladiola
gladiolus

el iris
iris

la azucena
lily

la margarita
daisy

la acacia
acacia

el crisantemo
chrysanthemum

el clavel
carnation

la nube
(C la gypsofila)
gypsophila

la maceta
potted plant

el alhelí
stocks

la gerbera
gerbera

el follaje
foliage

la rosa
rose

la fresia
freesia

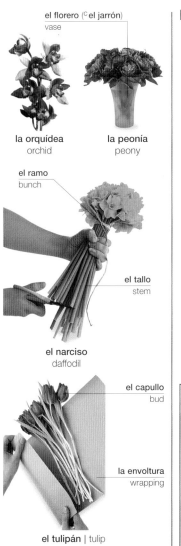

el florero (^C el jarrón)
vase

la orquídea
orchid

la peonía
peony

el ramo
bunch

el tallo
stem

el narciso
daffodil

el capullo
bud

la envoltura
wrapping

el tulipán | tulip

los arreglos • arrangements

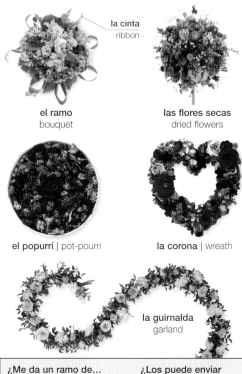

la cinta
ribbon

el ramo
bouquet

las flores secas
dried flowers

el popurrí | pot-pourri

la corona | wreath

la guirnalda
garland

¿Me da un ramo de…
por favor?
May I have a bunch of…
please.

¿Los puede enviar
a…?
Would you send them
to….?

¿Me los puede envolver?
May I have them
wrapped?

¿Cuánto tiempo
durarán éstos?
How long will these last?

¿Puedo poner un
mensaje?
May I attach a message?

¿Huelen?
Are they fragrant?

los tabacos y las revistas (ᶜel vendedor de periódicos)
• newsstand

los cigarros
(ᶜlos cigarrillos)
cigarettes

la cajetilla de cigarros
(ᶜel paquete de tabaco)
pack of cigarettes

los cerillos
(ᶜlas cerillas)
matches

los billetes de lotería
lottery tickets

los timbres
(ᶜlos sellos)
stamps

la tarjeta postal
postcard

la historieta (ᶜel tebeo)
comic

la revista
magazine

el periódico
newspaper

fumar • smoking

el tubo
stem

la cazoleta
bowl

el tabaco
tobacco

el encendedor (ᶜel mechero)
lighter

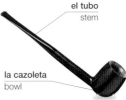

la pipa
pipe

el puro
cigar

la dulcería • candy store

la caja de chocolates
(ᶜde bombones)
box of chocolates

la barrita
snack bar

las papas
(ᶜpatatas) fritas
potato chips

la dulcería (ᶜla tienda de golosinas) | candy store

vocabulario • vocabulary

el chocolate de
leche
milk chocolate

el chocolate
negro
dark chocolate

el chocolate
blanco
white chocolate

los dulces (ᶜlas
golosinas) a
granel
pick and mix

el caramelo
caramel

la trufa
truffle

la galleta
cookie

los caramelos
duros
hard candy

los dulces (ᶜlas golosinas) • confectionery

el chocolate
(ᶜel bombón)
chocolate

la tablilla (ᶜla tableta)
de chocolate
chocolate bar

los caramelos duros
hard candy

la paleta (ᶜla piruleta)
lollipop

el toffee
toffee

el turrón
nougat

el malvarisco (ᶜla nube)
marshmallow

la pastilla de menta
mint

el chicle
chewing gum

el caramelo blando
jellybean

la gomita (ᶜla gominola)
gumdrop

el regaliz
licorice

las otras tiendas • other stores

la panadería
bakery

la confitería
cake shop

la carnicería
butcher shop

la pescadería
fish counter

la verdulería
produce stand

los abarrotes
(ᶜ **el ultramarinos**)
grocery store

la zapatería
shoe store

la ferretería
hardware store

la tienda de antigüedades
antique store

la tienda de regalos
(ᶜ **de artículos de regalo**)
gift store

la agencia de viajes
travel agency

la joyería
jewelry store

la librería
bookstore

la tienda de discos
record store

la tienda de licores
liquor store

la tienda de mascotas
(ᶜ**la pajarería**)
pet store

la mueblería
(ᶜ**la tienda de muebles**)
furniture store

la boutique
boutique

vocabulario • vocabulary

el vivero
garden center

la tienda de fotografía
camera store

la tienda naturista
(ᶜ**la herboristería**)
health food store

la tienda de artículos usados
second-hand store

la lavandería
laundromat

la tintorería
dry cleaner

la agencia inmobiliaria
realty office

la galería de arte
(ᶜ**la tienda de materiales de arte**)
art store

la sastrería
tailor shop

la estética (ᶜ**la peluquería**)
hair salon

el mercado | market

los alimentos
food

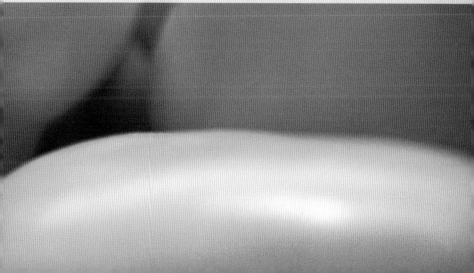

la carne • meat

el cordero
lamb

el carnicero
butcher

el gancho
meat hook

la báscula
(ᶜ el peso)
scales

el afilador
knife sharpener

el tocino (ᶜ el bacon)
bacon

las salchichas
sausages

el hígado
liver

vocabulario • vocabulary

el cerdo pork	**el venado** venison	**las asaduras** offal	**de granja** free range	**la carne roja** red meat
la vaca beef	**el conejo** rabbit	**curado** cured	**la carne blanca** white meat	**la carne magra** lean meat
la ternera veal	**la lengua** tongue	**ahumado** smoked	**orgánico** (ᶜ **biológico**) organic	**el fiambre** cooked meat

los cortes • cuts

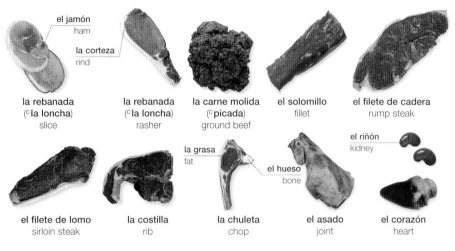

el jamón
ham

la corteza
rind

la rebanada
(ᶜ**la loncha**)
slice

la rebanada
(ᶜ**la loncha**)
rasher

la carne molida
(ᶜ**picada**)
ground beef

el solomillo
fillet

el filete de cadera
rump steak

la grasa
fat

el hueso
bone

el riñón
kidney

el filete de lomo
sirloin steak

la costilla
rib

la chuleta
chop

el asado
joint

el corazón
heart

las aves • poultry

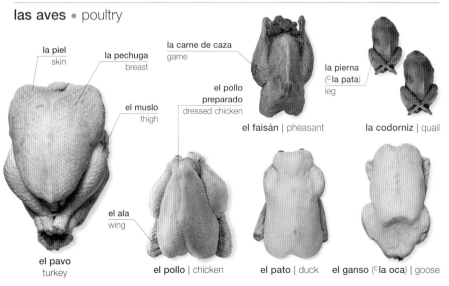

la piel
skin

la pechuga
breast

la carne de caza
game

el pollo
preparado
dressed chicken

el muslo
thigh

la pierna
(ᶜla pata)
leg

el faisán | pheasant

la codorniz | quail

el ala
wing

el pavo
turkey

el pollo | chicken

el pato | duck

el ganso (ᶜla oca) | goose

el pescado • fish

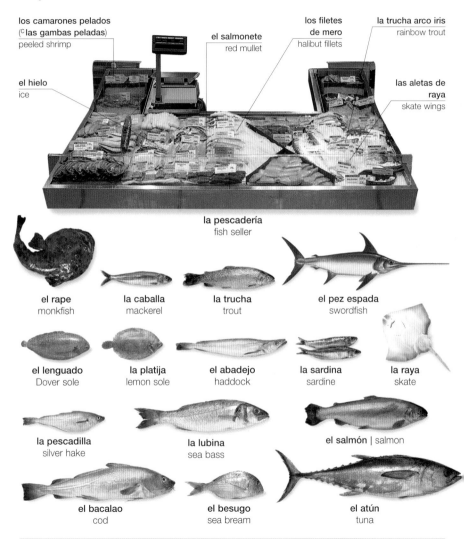

los camarones pelados
(ᶜ las gambas peladas)
peeled shrimp

el hielo
ice

el salmonete
red mullet

los filetes
de mero
halibut fillets

la trucha arco iris
rainbow trout

las aletas de
raya
skate wings

la pescadería
fish seller

el rape
monkfish

la caballa
mackerel

la trucha
trout

el pez espada
swordfish

el lenguado
Dover sole

la platija
lemon sole

el abadejo
haddock

la sardina
sardine

la raya
skate

la pescadilla
silver hake

la lubina
sea bass

el salmón | salmon

el bacalao
cod

el besugo
sea bream

el atún
tuna

el marisco • seafood

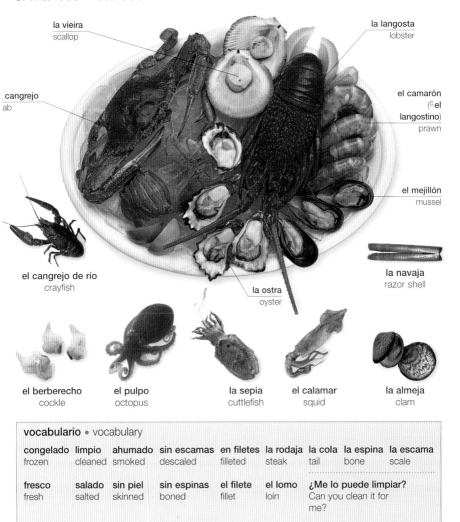

la vieira
scallop

la langosta
lobster

cangrejo
ab

el camarón
(ᶜel langostino)
prawn

el mejillón
mussel

el cangrejo de río
crayfish

la ostra
oyster

la navaja
razor shell

el berberecho
cockle

el pulpo
octopus

la sepia
cuttlefish

el calamar
squid

la almeja
clam

vocabulario • vocabulary

congelado	limpio	ahumado	sin escamas	en filetes	la rodaja	la cola	la espina	la escama
frozen	cleaned	smoked	descaled	filleted	steak	tail	bone	scale
fresco	salado	sin piel	sin espinas	el filete	el lomo	¿Me lo puede limpiar?		
fresh	salted	skinned	boned	fillet	loin	Can you clean it for me?		

las verduras 1 • vegetables 1

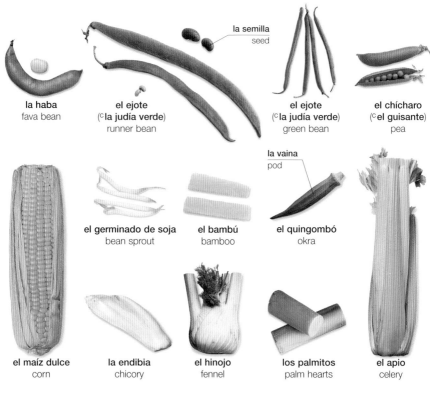

la semilla
seed

la haba
fava bean

el ejote
(ᶜ la judía verde)
runner bean

el ejote
(ᶜ la judía verde)
green bean

el chícharo
(ᶜ el guisante)
pea

la vaina
pod

el germinado de soja
bean sprout

el bambú
bamboo

el quingombó
okra

el maíz dulce
corn

la endibia
chicory

el hinojo
fennel

los palmitos
palm hearts

el apio
celery

---

vocabulario • vocabulary

la hoja leaf	**la cabezuela** floret	**la punta** tip	**biológico** organic	**¿Vende verduras orgánicas** **(ᶜ biológicas)?** Do you sell organic vegetables?
el tallo stalk	**la almendra** kernel	**el corazón** (ᶜ el centro) heart	**la bolsa de plástico** plastic bag	**¿Son productos locales?** Are these grown locally?

la roqueta
arugula

el berro
watercress

el radicchio
radicchio

la col de bruselas
Brussels sprout

la acelga
swiss chard

la col rizada
kale

la acedera
sorrel

la escarola
endive

el diente de león
dandelion

la espinaca
spinach

el colinabo
kohlrabi

la acelga china
bok choy

la lechuga
lettuce

el brócoli
broccoli

la col
cabbage

la berza
young cabbage

las verduras 2 • vegetables 2

la alcachofa
artichoke

el rábano
radish

la coliflor
cauliflower

el nabo
turnip

la papa
(ᶜla patata)
potato

la cebolla
onion

el pimiento
pepper

la chilaca
(ᶜla guindilla)
chili

la calabacita (ᶜel
calabacín) gigante
squash

vocabulario • vocabulary

la mandioca cassava	**el apio-nabo** celeriac	congelado frozen	amargo bitter	¿Me da un kilo de papas (ᶜpatatas), por favor? May I have one kilo of potatoes please?
la zanahoria carrot	**la raíz del taro** taro root	crudo raw	firme firm	
el fruto del pan breadfruit	**la castaña de agua** water chestnut	picante hot (spicy)	la pulpa pulp	¿Cuánto vale el kilo? What's the price per kilo?
la papa (ᶜla patata) nueva new potato	**el jitomate (ᶜel tomate) cherry** cherry tomato	dulce sweet	la raíz root	¿Cómo se llaman? What are those called?

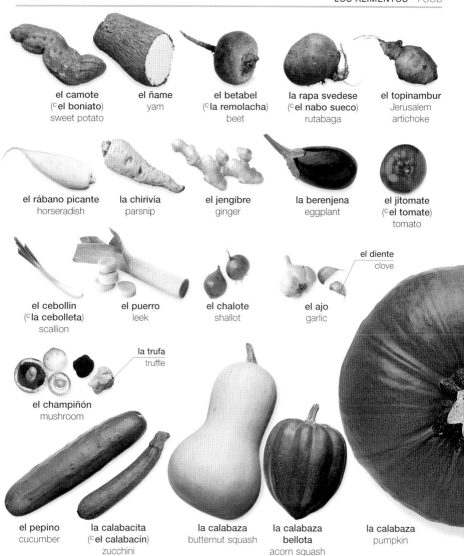

el camote
(ᶜ **el boniato**)
sweet potato

el ñame
yam

el betabel
(ᶜ **la remolacha**)
beet

la rapa svedese
(ᶜ **el nabo sueco**)
rutabaga

el topinambur
Jerusalem
artichoke

el rábano picante
horseradish

la chirivía
parsnip

el jengibre
ginger

la berenjena
eggplant

el jitomate
(ᶜ **el tomate**)
tomato

el cebollín
(ᶜ **la cebolleta**)
scallion

el puerro
leek

el chalote
shallot

el ajo
garlic

el diente
clove

la trufa
truffle

el champiñón
mushroom

el pepino
cucumber

la calabacita
(ᶜ **el calabacín**)
zucchini

la calabaza
butternut squash

**la calabaza
bellota**
acorn squash

la calabaza
pumpkin

la fruta 1 • fruit 1

los cítricos • citrus fruit

la fruta con hueso • stone fruit

la naranja
orange

la mandarina clementina
clementine

el durazno
(ᶜ**el melocotón**)
peach

la nectarina
nectarine

el ugli
tangelo

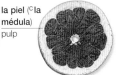

la piel (ᶜ**la médula**)
pulp

la toronja (ᶜ**el pomelo**)
grapefruit

el chabacano
(ᶜ**el albaricoque**)
apricot

la ciruela
plum

la cereza
cherry

la mandarina
tangerine

el gajo
segment

la mandarina satsuma
satsuma

la pera
pear

la manzana
apple

la lima
lime

la cáscara
(ᶜ**la corteza**)
zest

el limón
lemon

la naranja china (ᶜ**el kumquat**)
kumquat

el frutero (ᶜ**la cesta de fruta**) | basket of fruit

las bayas y los melones • berries and melons

la fresa
strawberry

la frambuesa
raspberry

la zarzamora (ᶜ**la mora**)
blackberry

el arándano rojo
cranberry

el arándano
blueberry

a frambuesa Logan
loganberry

el capulín
(ᶜ**la grosella espinosa**)
gooseberry

la grosella
redcurrant

la grosella negra
blackcurrant

la grosella blanca
white currant

el melón
melon

la uva
grapes

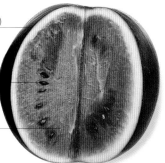

la cáscara
(ᶜ**la corteza**)
rind

la semilla
(ᶜ**la pepita**)
seed

la pulpa
flesh

la sandía
watermelon

vocabulario • vocabulary

el ruibarbo rhubarb	**amargo** sour	**fresco** crisp	**el corazón** core	**¿Están maduros?** Are they ripe?
la fibra fiber	**fresco** fresh	**podrido** rotten	**la pulpa** pulp	**¿Puedo probar uno?** May I try one?
dulce sweet	**jugoso** juicy	**el jugo** (ᶜ **el zumo**) juice	**sin semillas** (ᶜ**pepitas**) seedless	**¿Hasta cuándo durarán?** How long will they keep?

la fruta 2 • fruit 2

el mango
mango

la piña
pineapple

el aguacate
avocado

la papaya
papaya

el melocotón
peach

el lichi
lychee

el capulín
(ᶜel phisicallis)
Cape gooseberry

el kiwi
kiwifruit

la semilla
pit

la piel
peel

el membrillo
quince

el maracuyá
passion fruit

el plátano
banana

la guayaba
guava

la granada
pomegranate

el caqui
persimmon

la feijoa
feijoa

la tuna
(ᶜel higo chumbo)
prickly pear

la carambola
star fruit

el mangostán
mangosteen

los frutos seco • nuts and dried fruit

el piñón
pine nut

el pistache
(ᶜ**el pistacho**)
pistachio

la nuez de la India
(ᶜ**el anacardo**)
cashew nut

el cacahuete
peanut

la avellana
hazelnut

la nuez de Brasil
Brazil nut

la nuez
(ᶜ**la pacana**)
pecan

la almendra
almond

la nuez de Castilla
(ᶜ**la nuez**) | walnut

la castaña
chestnut

la macadamia
macadamia

el higo
fig

el dátil
date

la ciruela pasa
prune

la cáscara
shell

la pasa sultana
sultana

la pasa
raisin

la pasa de Corinto
currant

la pulpa
flesh

el coco
coconut

---

vocabulario • vocabulary

verde green	**duro** hard	**la almendra** kernel	**salado** salted	**tostado** roasted	**las frutas tropicales** tropical fruit	**pelado** shelled
maduro ripe	**blando** soft	**desecado** dried	**crudo** raw	**de temporada** seasonal	**la fruta escarchada** candied fruit	**entero** whole

---

los granos y las legumbres • grains and pulses

los granos • grains

el trigo
wheat

la avena
oats

la cebada
barley

el mijo
millet

el maíz
corn

la quinoa
quinoa

vocabulario • vocabulary

la semilla seed	**fresco** fresh	**integral** whole-grain
la cáscara husk	**perfumado** fragranced	**largo** long-grain
el grano kernel	**los cereales** cereal	**corto** short-grain
seco dry	**poner a remojo** soak (v)	**de fácil cocción** easy-to-cook

el arroz • rice

el arroz largo
white rice

el arroz integral
brown rice

el arroz salvaje
wild rice

el arroz bomba
dessert rice

los granos procesados • processed grains

el cuscús
couscous

el trigo partido
cracked wheat

la sémola
semolina

el salvado
bran

español • english

los frijoles y los chícharos (ᶜ las alubias y los guisantes) • beans and peas

el frijol blanco
(ᶜ la alubia blanca)
lima beans

el frijol blanco
chico
navy beans

el frijol rojo
(ᶜ la alubia roja)
kidney beans

el frijol morado
(ᶜ la alubia morada)
aduki beans

las habas
fava beans

la semilla de soja
soybeans

el frijol (ᶜ la alubia)
de ojo negro
black-eyed peas

el frijol pinto
(ᶜ la alubia pinta)
pinto beans

el frijol mung
(ᶜ la alubia mung)
mung beans

el frijol flageolet
(ᶜ la alubia flageolet)
flageolet beans

la lenteja
castellana
brown lentils

la lenteja roja
red lentils

los chícharos
(ᶜ los guisantes tiernos)
peas

los garbanzos
chick peas

los chícharos secos
(ᶜ los guisantes secos)
split peas

las semillas • seeds

la pepita (ᶜ la
pipa) de
calabaza
pumpkin seed

la semilla de
mostaza (ᶜ la
mostaza en grano)
mustard seed

el carvi
caraway

la semilla de
sésamo
sesame seed

la semilla de girasol
sunflower seed

las hierbas y las especias • herbs and spices

las especias • spices

la vainilla
vanilla

la nuez moscada
nutmeg

la macis
mace

la cúrcuma
turmeric

el comino
cumin

el ramillete aromático
bouquet garni

la pimienta de Jamaica
allspice

la pimienta en grano
peppercorn

el heno griego
fenugreek

el chile piquín
(ᶜ**la guindilla**)
chili

entero
whole

machacado
crushed

el azafrán
saffron

el cardamono
cardamom

el curry en polvo
curry powder

molido
ground

el pimentón
paprika

a hojuelas
(ᶜ**laminado**)
flakes

el ajo
garlic

las hierbas • herbs

las rajas
(ᶜ las ramas)
sticks

la canela
cinnamon

el hinojo
fennel

las semillas
de hinojo
fennel seeds

el laurel
bay leaf

el perejil
parsley

la citronela
lemon grass

los cebollinos
chives

la menta
mint

el tomillo
thyme

la salvia
sage

los clavos
cloves

el estragón
tarragon

la mejorana
marjoram

la albahaca
basil

**el anís
estrellado**
star anise

el jengibre
ginger

el orégano
oregano

el cilantro
coriander

el eneldo
dill

el romero
rosemary

los alimentos embotellados •
bottled foods

el corcho
cork

el aceite de nueces
walnut oil

el aceite de
girasol
sunflower oil

el aceite de
semillas de uva
grapeseed oil

el aceite de
almendras
almond oil

el aceite de sésamo
sesame seed oil

el aceite de oliva
olive oil

las hierbas
herbs

el aceite
aromatizado
flavored oil

el aceite de avellanas
hazelnut oil

los aceites
oils

las conservas dulces • sweet spreads

el tarro
jar

el panal
honeycomb

la miel
cristalizada
(c compacta)
set honey

la crema de
limón
lemon curd

la mermelada de
frambuesa
raspberry jam

la mermelada de
naranja
marmalade

la miel líquida
clear honey

la miel de maple
(c el jarabe de arce)
maple syrup

los condimentos • condiments and spreads

el vinagre de sidra
cider vinegar

el vinagre
balsámico
balsamic vinegar

la botella
bottle

la mayonesa
mayonnaise

el chutney
chutney

el vinagre de malta
malt vinegar

el vinagre de vino
wine vinegar

el vinagre
vinegar

la catsup
(ᶜel ketchup)
ketchup

la salsa
sauce

la mostaza
inglesa
English mustard

la mostaza
francesa
French mustard

la mostaza en
grano
wholegrain
mustard

---

el tarro hermético
sealed jar

la crema de
cacahuete
peanut butter

el chocolate para
untar
chocolate spread

la fruta en
conserva
preserved fruit

vocabulario • vocabulary

el aceite
vegetal
vegetable oil

el aceite de
colza
canola oil

el aceite de
maíz
corn oil

el aceite de
presión en frío
cold-pressed oil

el aceite de
cacahuete
peanut oil

los productos lácteos • dairy products

el queso • cheese

la corteza
rind

el queso semicurado
semihard cheese

el queso rallado
grated cheese

el queso curado
hard cheese

el queso cremoso
semicurado
semisoft cheese

el requesón
cottage cheese

el queso cremoso
cream cheese

el queso azul
blue cheese

el queso cremoso
soft cheese

el queso fresco | fresh cheese

la leche • milk

la leche
entera
whole milk

la leche
semidescremada
(C semidesnatada)
reduced-fat milk

la leche
descremada
(C desnatada)
fat-free milk

el cartón de leche
milk carton

la leche de vaca | cow's milk

la leche de
cabra
goat's milk

la leche
condensada
condensed milk

la mantequilla
butter

la margarina
margarine

la crema (ᶜla nata)
cream

la crema (ᶜla nata) líquida
half-and-half cream

la crema para batir
(ᶜla nata para montar)
whipping cream

la crema batida
(ᶜla nata montada)
whipped cream

la crema ácida
(ᶜla nata agria)
sour cream

el yogurt
yogurt

el helado
ice cream

los huevos • eggs

la yema
yolk

la clara
egg white

la cáscara
shell

la huevera
eggcup

el huevo tibio (ᶜpasado por agua)
soft-boiled egg

el huevo de gallina
hen's egg

el huevo de pato
duck egg

el huevo de ganso
(ᶜde oca)
goose egg

el huevo de codorniz
quail egg

vocabulario • vocabulary

pasteurizado pasteurized	**sin grasa** fat-free	**salado** salted	**la leche de oveja** sheep's milk	**homogeneizado** homogenized	**la lactosa** lactose
sin pasteurizar unpasteurized	**la leche en polvo** powdered milk	**sin sal** unsalted	**el suero de la leche** buttermilk	**la malteada** (ᶜel batido) milkshake	**el yogurt helado** frozen yogurt

el pan y las harinas • breads and flours

el pan de caja
(ᶜde molde)
sliced bread

las semillas de
amapola
poppy seeds

el pan de centeno
rye bread

la baguette
French bread

la panadería | bakery

haciendo pan • making bread

la harina blanca
white flour

la harina morena
whole-wheat flour

la harina integral
stone-ground flour

la levadura
yeast

cernir (ᶜ**cribar**) | sift (v)

la masa
dough

mezclar | mix (v)

amasar | knead (v)

hornear | bake (v)

español • english

la corteza
crust

el pan blanco
white bread

la hogaza
loaf

el pan negro (ᶜmoreno)
brown bread

el pan integral
whole-wheat bread

la rebanada
slice

el pan con grano
multigrain bread

el pan de maíz
corn bread

el pan al bicarbonato
sódico
soda bread

el pan fermentado
sourdough bread

el pan sin levadura
flat bread

la dona (ᶜla rosquilla)
bagel

el bollo
bun

el panecillo
roll

el pan de frutas
(ᶜel plumcake)
fruit bread

el pan con semillas
seeded bread

el naan
naan bread

la pita
pita bread

el pan danés (ᶜel biscote)
crispbread

vocabulario • vocabulary

la harina con levadura self-rising flour	**la harina blanca** all-purpose flour	**levar** prove (v)	**la barra** flute	**el rebanador** slicer
la harina para pan bread flour	**subir** rise (v)	**glasear** glaze (v)	**el pan molido** (ᶜ**rallado**) breadcrumbs	**el panadero** baker

la repostería • cakes and desserts

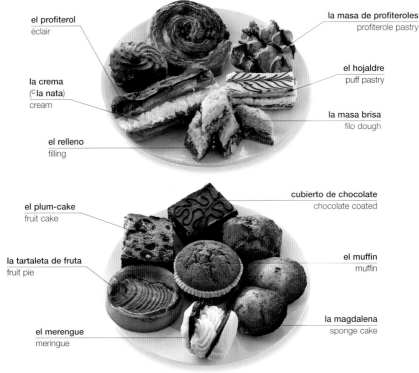

el profiterol
éclair

la masa de profiteroles
profiterole pastry

la crema
(ᶜla nata)
cream

el hojaldre
puff pastry

la masa brisa
filo dough

el relleno
filling

el plum-cake
fruit cake

cubierto de chocolate
chocolate coated

la tartaleta de fruta
fruit pie

el muffin
muffin

el merengue
meringue

la magdalena
sponge cake

los pasteles | cakes

---

vocabulario • vocabulary

la crema pastelera pastry cream	**el bollo** bun	**la masa** pastry	**la celebración** celebration	**¿Puedo tomar una rebanada (ᶜun trozo)?** May I have a slice please?
el pastel de chocolate chocolate cake	**las natillas** custard	**la rebanada** (ᶜel trozo) slice	**el arroz con leche** rice pudding	

los chips (^C los trocitos)
de chocolate
chocolate chip

las soletillas
lady fingers

la florentina
florentine

el postre de
soletillas, gelatina
de frutas y crema
trifle

las galletas | cookies

el mousse
mousse

el sorbete
sorbet

el pastel de crema (^Cnata)
custard pie

el flan
crème caramel

los pasteles para celebraciones • special occasion cakes

el último piso
top tier

el primer piso
bottom tier

el listón
(^Cla cinta)
ribbon

la alcorza
icing

el mazapán
marzipan

el pastel de bodas (^Cla tarta nupcial)
wedding cake

la decoración
decoration

las velas de
cumpleaños
birthday candles

apagar
blow out (v)

el pastel (^Cla tarta) de cumpleaños | birthday cake

la charcutería • delicatessen

el fiambre
spicy sausage

la quiche
quiche

el vinagre
vinegar

el aceite
oil

la carne fresca
uncooked meat

el mostrador
counter

el salami
salami

el salchichón
pepperoni

el paté
pâté

la mozzarella
mozzarella

el brie
Brie

el queso de cabra
goat's cheese

el cheddar
Cheddar

la corteza
rind

el parmesano
Parmesan

el camembert
Camembert

el queso de bola
Edam

el manchego
Manchego

los pasteles de carne
meat pies

la aceituna negra
black olive

el chile piquín
(^Cla guindilla)
chili

la salsa
sauce

el panecillo
roll

el fiambre
cooked meat

la aceituna verde
green olive

el jamón
ham

el mostrador de bocadillos
sandwich counter

el pescado ahumado
smoked fish

las alcaparras
capers

el chorizo
chorizo

el jamón serrano
prosciutto

la aceituna rellena
stuffed olive

---

vocabulario • vocabulary

en aceite in oil	**salado** salted	**ahumado** smoked
en salmuera in brine	**marinado** (^C**adobado**) marinated	**curado** cured

Tome un número, por favor.
Take a number, please.

¿Puedo probar un poco de eso?
Can I try some of that, please?

¿Me pone seis rebanadas (^Clonchas) de aquél?
May I have six slices of that, please?

las bebidas • drinks

el agua • water

el agua embotellada
bottled water

con gas
sparkling

sin gas
noncarbonated

el agua mineral
mineral water

el agua de la llave
(^{c} del grifo)
tap water

la tónica
tonic water

la soda
soda water

las bebidas calientes • hot drinks

la bolsita de té
teabag

el té en hoja
loose leaf tea

el té
tea

los granos
beans

el café molido
ground coffee

el café
coffee

el chocolate
caliente
hot chocolate

la bebida
malteada
malted drink

---

los refrescos • soft drinks

el popote
(^{c} la pajita)
straw

el jugo (^{c} el zumo)
de tomate
tomato juice

el jugo (^{c} el
zumo) de uva
grape juice

la limonada
lemonade

la naranjada
orangeade

la cola
cola

las bebidas alcohólicas • alcoholic drinks

la ginebra
gin

la lata
can

la cerveza
beer

la sidra
hard cider

la cerveza
amarga
bitter

la cerveza negra
stout

el vodka
vodka

el whisky
whiskey

el ron
rum

el brandy (ᶜel coñac)
brandy

el oporto
port

seco
dry

el vino de jerez
sherry

el campari
campari

rosado
rosé

blanco
white

tinto
red

el licor
liqueur

el tequila
tequila

el champán
champagne

el vino
wine

comer fuera
eating out

la cafetería · café

la sombrilla
umbrella

el toldo
awning

la carta
menu

la terraza
terrace café

el mesero
(ᶜel camarero)
server

la máquina del café
coffee machine

la mesa
table

la cafetería con mesas fuera | sidewalk café

el bar | snack bar

el café · coffee

el café con leche
coffee with cream

el café solo
black coffee

la cocoa (ᶜel
cacao en polvo)
cocoa powder

la espuma
froth

el café de cafetera eléctrica
filter coffee

el expreso (ᶜel café solo)
espresso

el cappuccino
cappuccino

el café con hielo
iced coffee

el té • tea

el té de hierbas
(c la infusión)
herbal tea

la manzanilla
camomile tea

el té verde
green tea

el té con leche
tea with milk

el té sólo
black tea

el té con limón
tea with lemon

la menta poleo
mint tea

el té con hielo
iced tea

los jugos y las malteadas (c los zumos y los batidos) • juices and milkshakes

la malteada de chocolate
chocolate milkshake

la malteada de fresa
strawberry milkshake

la malteada de café
coffee milkshake

el jugo de naranja
orange juice

el jugo de manzana
apple juice

el jugo de piña
pineapple juice

el jugo de tomate
tomato juice

la comida • food

el pan integral
brown bread

la bola
scoop

el sandwich tostado
toasted sandwich

la ensalada
salad

el helado
ice cream

el pan dulce (c el pastel)
pastry

el bar • bar

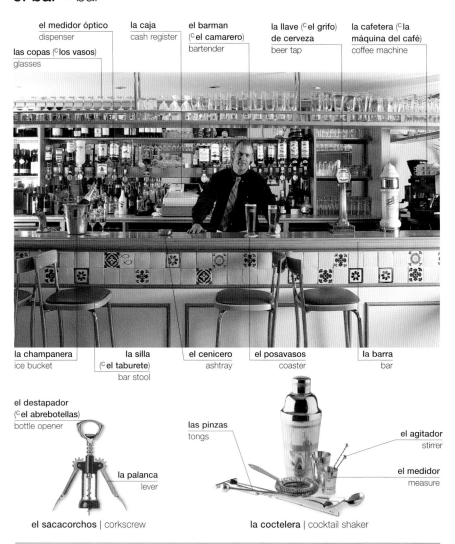

el medidor óptico
dispenser

las copas (ᶜlos vasos)
glasses

la caja
cash register

el barman
(ᶜel camarero)
bartender

la llave (ᶜel grifo)
de cerveza
beer tap

la cafetera (ᶜla
máquina del café)
coffee machine

la champanera
ice bucket

la silla
(ᶜel taburete)
bar stool

el cenicero
ashtray

el posavasos
coaster

la barra
bar

el destapador
(ᶜel abrebotellas)
bottle opener

la palanca
lever

el sacacorchos | corkscrew

las pinzas
tongs

el agitador
stirrer

el medidor
measure

la coctelera | cocktail shaker

la jarra
pitcher

el cubito de hielo
ice cube

el gin tonic
gin and tonic

el whiskey escocés con agua
scotch and water

la cuba libre
(ᶜel ron con cola)
rum and coke

el desarmador
(ᶜel vodka con naranja)
vodka and orange

el martini
martini

el cóctel
cocktail

el vino
wine

la cerveza | beer

doble
double

con hielo y limón
ice and lemon

sencillo
single

un trago
a shot

la medida
measure

sin hielo
without ice

con hielo
with ice

la botana (ᶜ los aperitivos) • bar snacks

las nueces de la India
(ᶜlos anacardos)
cashews

los cacahuetes
peanuts

las almendras
almonds

las papas (ᶜlas patatas) fritas
potato chips

los frutos secos | nuts

las aceitunas | olives

el restaurante • restaurant

el área de no fumar
(^Cla zona de no fumadores)
nonsmoking section

la servilleta
napkin

el ayudante del chef
assistant chef

el cubierto
place setting

el chef
chef

la copa
glass

la charola
(^Cla bandeja)
tray

la cocina
kitchen

el mesero (^Cel camarero)
server

vocabulario • vocabulary

la lista de vinos	a la carta	el precio	la propina	el buffet	el cliente
wine list	à la carte	price	tip	buffet	customer
el menú de la comida	el carrito de los postres	la cuenta	servicio incluido	el bar	la sal
lunch menu	dessert cart	check	service charge included	bar	la sal
el menú de la cena	los platillos (^Clos platos) del día	el recibo	servicio no incluido	el área de fumar (^Cla zona de fumadores)	la pimienta
dinner menu	specials	receipt	service charge not included	smoking section	pepper

la carta
menu

el menú para niños
child's meal

ordenar (^cpedir)
order (v)

pagar
pay (v)

los platos • courses

el aperitivo
apéritif

la entrada
(^cel entrante)
appetizer

la sopa
soup

el plato principal
main course

el acompañamiento
side order

el tenedor
fork

la cucharilla de café
coffee spoon

el postre | dessert

el café | coffee

Una mesa para dos, por favor.
A table for two, please.

¿Podría ver la carta/lista de vinos, por favor?
Can I see the menu/wine list, please?

¿Hay menú del día?
Is there a prix fixe menu?

¿Tiene platos vegetarianos?
Do you have any vegetarian dishes?

¿Me podría traer la cuenta/un recibo?
Could I have the check/a receipt, please?

¿Podemos pagar por separado?
Can we pay separately?

¿Dónde están los baños (^clos servicios), por favor?
Where are the rest rooms, please?

la comida rápida • fast food

el popote (^Cla pajita)
straw

el refresco
soft drink

la hamburguesa
burger

las papas fritas
(^Clas patatas fritas)
French fries

la servilleta de papel
paper napkin

la charola
(^Cla bandeja)
tray

la hamburguesa con papas fritas
burger meal

la pizza
pizza

la lista de precios
price list

el refresco en lata
(^Cla lata de bebida)
canned drink

la entrega a domicilio
delivery

el puesto
hot-dog stand

vocabulario •
vocabulary

la pizzería
pizzeria

el restaurant de hamburguesas
(^C**la hamburguesería**)
fast food restaurant

el menú
menu

para comer en el local
eat in

para llevar
carry out

recalentar
reheat (v)

la catsup (^C**el ketchup**)
ketchup

¿Me lo pone para llevar?
Can I have that to go, please?

¿Entregan a domicilio?
Do you deliver?

la hamburguesa
hamburger

la hamburguesa de pollo
chicken burger

el bollo
bun

la hamburguesa vegetariana
veggie burger

la mostaza
mustard

la salchicha
sausage

el hot dog (ᶜ el perrito caliente) | hot dog

el bocadillo
sub

el club sandwich
club sandwich

el relleno
filling

el sandwich abierto
open-face sandwich

el taco
wrap

la salsa
sauce

salado
savory

dulce
sweet

el alambre (ᶜel pincho moruno)
kabob

los nuggets (ᶜlas porciones) de pollo
chicken nuggets

la crêpe | crepes

los ingredientes
topping

el pescado con papas fritas
fish and chips

las costillas
ribs

el pollo frito
fried chicken

la pizza
pizza

el desayuno • breakfast

la leche
milk

los cereales
cereal

la mermelada
jam

la fruta seca
(C desecada)
dried fruit

el jamón
ham

el queso
cheese

la galleta de centeno
crispbread

el buffet de desayuno
breakfast buffet

la mermelada de naranja
marmalade

el paté
pâté

la mantequilla
butter

el jugo (C el zumo) de frutas
fruit juice

el café
coffee

el chocolate caliente (C el cacao)
hot chocolate

el croissant
croissant

el té
tea

la mesa del desayuno | breakfast table

las bebidas | drinks

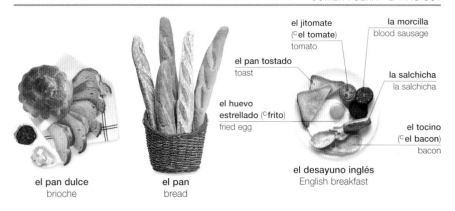

el jitomate
(ᶜ **el tomate**)
tomato

la morcilla
blood sausage

el pan tostado
toast

la salchicha
la salchicha

**el huevo
estrellado** (ᶜ**frito**)
fried egg

el tocino
(ᶜ **el bacon**)
bacon

el desayuno inglés
English breakfast

el pan dulce
brioche

el pan
bread

la yema
yolk

**los arenques
ahumados**
smoked herring

el pan francés
(ᶜ **la torrija**)
French toast

el huevo tibio
(ᶜ **pasado por agua**)
soft-boiled egg

los huevos revueltos
scrambled eggs

la crema (ᶜ **la nata**)
whipped cream

el yogurt de frutas
fruit yogurt

los crepes
pancakes

los waffles (ᶜ**los gofres**)
waffles

la avena (ᶜ**las
gachas de avena**)
oatmeal

la fruta fresca
fresh fruit

la comida principal • dinner

la sopa | soup

el caldo | broth

el guiso | stew

el curry | curried lamb

el asado
roast

la empanada (ᶜel pastel)
pie

el soufflé
soufflé

la brocheta (ᶜel pincho)
kabob

las albóndigas
meatballs

la omelette (ᶜla tortilla)
omelette

el revuelto | stir fry

los fideos
noodles

la pasta | pasta

el arroz
rice

la ensalada mixta
tossed salad

la ensalada verde
green salad

el aderezo (ᶜel aliño)
dressing

las técnicas • techniques

relleno | stuffed

en salsa | in sauce

a la plancha | grilled

adobado | marinated

escalfado | poached

hecho puré | mashed

al horno (ᶜcocido en el horno) | baked

frito con poco aceite
pan fried

frito
fried

en vinagre
pickled

ahumado
smoked

frito con mucho aceite
deep fried

en almíbar
in syrup

sazonado (ᶜaliñado)
dressed

al vapor
steamed

curado
cured

el estudio
study

la escuela • school

la maestra
(ᶜ la profesora)
teacher

el pizarrón
(ᶜ la pizarra)
chalkboard

el salón | classroom

el colegial
schoolboy

el alumno
pupil

el uniforme
school uniform

el pupitre
desk

la mochila
(ᶜ la cartera)
book bag

el gis (ᶜ la tiza)
chalk

la colegiala
schoolgirl

vocabulario • vocabulary

la historia history	el arte art	la física physics
la literatura literature	la música music	la química chemistry
los idiomas languages	la ciencia science	la biología biology
la geografía geography	las matemáticas math	la educación física physical education

las actividades • activities

leer | read (v)

escribir | write (v)

deletrear
spell (v)

dibujar
draw (v)

el proyector de acetatos
overhead projector

la punta
nib

la pluma
(ᶜ **el bolígrafo**)
pen

el color
(ᶜ el lápiz de colores)
colored pencil

el
sacapuntas
pencil
sharpener

el lápiz
pencil

la goma
eraser

el cuaderno
notebook

el libro de texto | textbook

el estuche
pencil case

la regla
ruler

preguntar
question (v)

contestar
answer (v)

discutir
discuss (v)

aprender
learn (v)

vocabulario • vocabulary

el director	**la respuesta**	**el diccionario**
principal	answer	dictionary
la lección	**la redacción**	**la enciclopedia**
class	essay	encyclopedia
la question	**la tarea**	**la calificación**
(ᶜ**la pregunta**)	(ᶜ**los deberes**)	(ᶜ**la nota**)
question	homework	grade
tomar	**el examen**	**el año**
apuntes	examination	(ᶜ**el curso**)
take notes (v)		year

las matemáticas • math

las formas • shapes

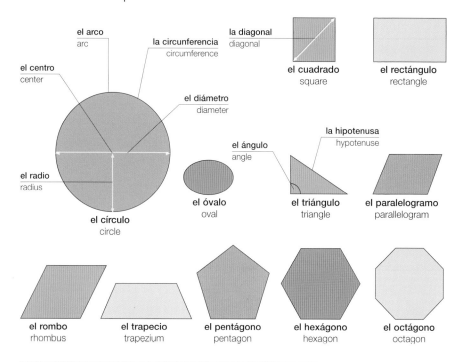

el arco
arc

la circunferencia
circumference

la diagonal
diagonal

el cuadrado
square

el rectángulo
rectangle

el centro
center

el diámetro
diameter

la hipotenusa
hypotenuse

el ángulo
angle

el radio
radius

el óvalo
oval

el triángulo
triangle

el paralelogramo
parallelogram

el círculo
circle

el rombo
rhombus

el trapecio
trapezium

el pentágono
pentagon

el hexágono
hexagon

el octágono
octagon

los cuerpos geométricos • solids

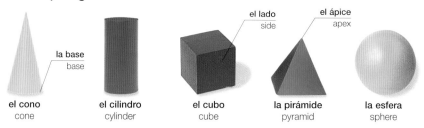

la base
base

el lado
side

el ápice
apex

el cono
cone

el cilindro
cylinder

el cubo
cube

la pirámide
pyramid

la esfera
sphere

las líneas • lines

recto
straight

paralelo
parallel

perpendicular
perpendicular

curvo
curved

las medidas • measurements

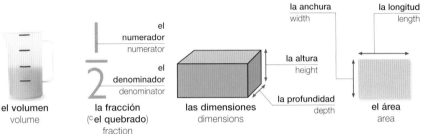

el **numerador**
numerator

el **denominador**
denominator

la **anchura**
width

la **longitud**
length

la **altura**
height

la **profundidad**
depth

el volumen
volume

la fracción
(ᶜ**el quebrado**)
fraction

las dimensiones
dimensions

el área
area

los materiales • equipment

la escuadra
set square

el transportador
protractor

la regla
ruler

el compás
compass

la calculadora
calculator

---

vocabulario • vocabulary

la geometría geometry	**más** plus	**multiplicado por** times	**igual a** equals	**sumar** add (v)	**multiplicar** multiply (v)	**la ecuación** equation
la aritmética arithmetic	**menos** minus	**dividido entre** (ᶜ**dividido por**) divided by	**contar** count (v)	**restar** subtract (v)	**dividir** divide (v)	**el porcentaje** percentage

---

las ciencias • science

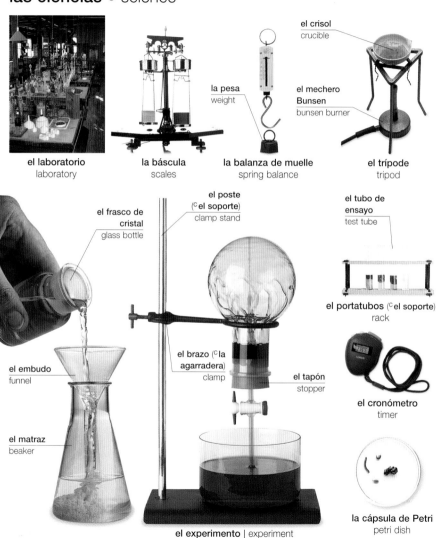

el laboratorio
laboratory

la báscula
scales

la pesa
weight

la balanza de muelle
spring balance

el crisol
crucible

el mechero
Bunsen
bunsen burner

el trípode
tripod

el frasco de
cristal
glass bottle

el poste
(ᶜel soporte)
clamp stand

el tubo de
ensayo
test tube

el portatubos (ᶜel soporte)
rack

el embudo
funnel

el brazo (ᶜla
agarradera)
clamp

el tapón
stopper

el cronómetro
timer

el matraz
beaker

la cápsula de Petri
petri dish

el experimento | experiment

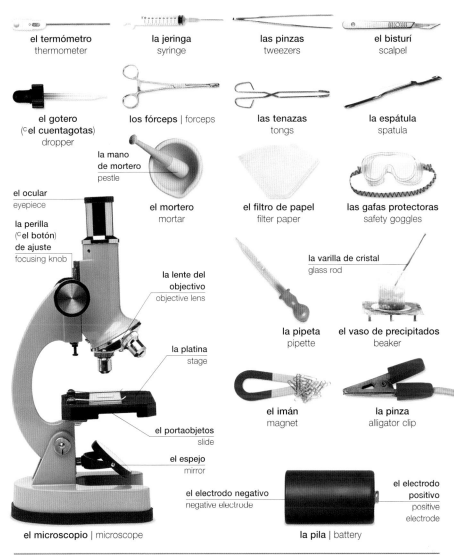

el termómetro
thermometer

la jeringa
syringe

las pinzas
tweezers

el bisturí
scalpel

el gotero
(C **el cuentagotas**)
dropper

los fórceps | forceps

las tenazas
tongs

la espátula
spatula

la mano de mortero
pestle

el mortero
mortar

el filtro de papel
filter paper

las gafas protectoras
safety goggles

el ocular
eyepiece

la perilla
(C **el botón**)
de ajuste
focusing knob

la lente del objetivo
objective lens

la varilla de cristal
glass rod

la pipeta
pipette

el vaso de precipitados
beaker

la platina
stage

el portaobjetos
slide

el espejo
mirror

el imán
magnet

la pinza
alligator clip

el electrodo negativo
negative electrode

el electrodo positivo
positive electrode

el microscopio | microscope

la pila | battery

la enseñanza superior • college

la secretaría
admissions office

el campo deportivo
playing field

el comedor
(C el refectorio)
dining room

la residencia estudiantil
(C el colegio mayor)
residence hall

el centro de salud
health center

el campus | campus

el catálogo
card catalogue

---

vocabulario • vocabulary

el préstamo loan	la información inquiries	renovar renew (v)
reservar reserve (v)	coger prestado borrow (v)	el libro book
la lista de lecturas reading list	la sala de lecturas reading room	el título title
la fecha de devolución due date	la credencial (C la tarjeta de la biblioteca) library card	el pasillo aisle

la bibliotecaria
librarian

el mostrador de préstamos
checkout desk

el librero (C la estantería)
bookshelf

el periódico
periodical

la revista
journal

la biblioteca | library

el estudiante
undergraduate

el profesor
professor

la licenciada
graduate

la toga
gown

el auditorio (ᶜel anfiteatro)
lecture hall

la ceremonia de graduación
graduation ceremony

las escuelas • schools

la modelo
model

la escuela de Bellas Artes
art school

el conservatorio
music school

la academia de danza
dance school

vocabulario • vocabulary

la beca scholarship	la investigación research	la tesina dissertation	la medicina medicine	la política political science
el diploma diploma	el doctorado doctorate	el departamento department	la zoología zoology	la literatura literature
la carrera degree	la tesis thesis	el derecho law	la física physics	la historia del arte art history
posgrado postgraduate	la mestría (ᶜel máster) master's degree	la ingeniería engineering	la filosofía philosophy	las ciencias económicas economics

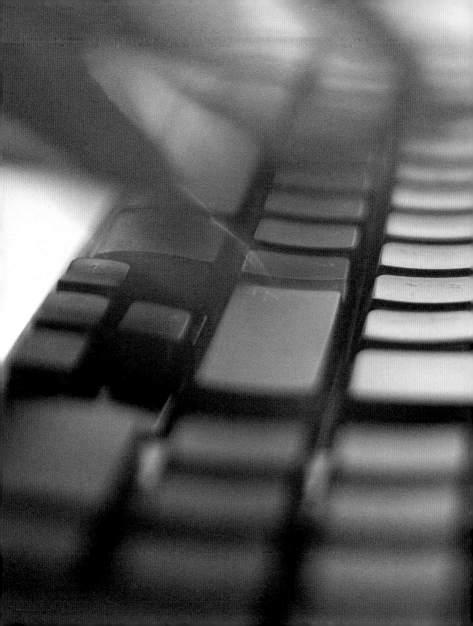

el trabajo
work

la oficina 1 • office 1
la oficina • office

la pantalla
monitor

el portaplumas
(C el portabolígrafos)
desktop organizer

la carpeta
file

la bandeja
de entrada
in-tray

la bandeja
de salida
out-tray

la computadora
(C el ordenador)
computer

el teclado
keyboard

el teléfono
telephone

el cuaderno
notebook

la etiqueta
label

el escritorio
desk

el bote de basura
(C la papelera)
wastebasket

la silla
giratoria
swivel chair

la cajonera
drawer unit

el cajón
drawer

el archivero
(C el archivador)
filing cabinet

el equipo de oficina • office equipment

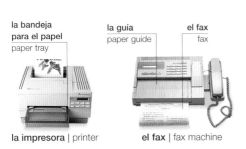

la bandeja
para el papel
paper tray

la guía
paper guide

el fax
fax

la impresora | printer

el fax | fax machine

vocabulario • vocabulary	
imprimir print (v)	**ampliar** enlarge (v)
fotocopiar copy (v)	**reducir** reduce (v)

Necesito sacar (C hacer) unas copias.
I need to make some copies.

la papelería • office supplies

la tarjeta membretada
(C **la nota con saludos**)
compliments slip

el membrete
letterhead

el sobre
envelope

la caja archivador
box file

el divisor
divider

el rótulo
tab

la tabla con porta-papeles (C **la tablilla con sujetapapeles**)
clipboard

la libreta (C **el bloc de apuntes**)
notepad

el colgante
(C **el archivador suspendido**)
hanging file

la carpeta de acordeón
accordion file

la carpeta de argollas
(C **de anillas**)
binder file

las grapas
staples

la cinta scotch
(C **el papel celo**)
adhesive tape

el cojín de la tinta
ink pad

la agenda
personal organizer

la engrapadora
(C **la grapadora**)
stapler

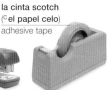

el portacinta
(C **el soporte del papel celo**)
tape dispenser

la perforadora
hole punch

el sello
rubber stamp

la liga
(C **la goma elástica**)
rubber band

la pinza
(C **el clip**)
bulldog clip

el clip
(C **el sujetapapeles**)
paper clip

la chinche
(C **la chincheta**)
thumbtack

el corcho | bulletin board

la oficina 2 • office 2

el pizarrón
(ᶜla pizarra)
flipchart

la minuta
(ᶜel acta)
minutes

el caballete
easel

el reporte
(ᶜel informe)
report

el gerente
(ᶜel director)
manager

la propuesta
proposal

el
ejecutivo
executive

la junta (ᶜla reunión) | meeting

vocabulario • vocabulary

el orden del día agenda	**asistir** attend (v)
la sala de juntas (ᶜreuniones) meeting room	**presidir** chair (v)

¿A qué hora es la junta (ᶜla reunión)?
What time is the meeting?

¿Cuál es su horario de oficina?
What are your office hours?

el orador
speaker

el proyector
projector

la presentación | presentation

los negocios • business

el laptop (^Cel
ordenador portátil)
laptop

las notas
(^Clos apuntes)
notes

el hombre de
negocios
businessman

la mujer de
negocios
businesswoman

la comida de negocios
business lunch

el viaje de negocios
business trip

el cliente
client

la cita
appointment

la palmtop
(^Cel PDA)
palmtop
computer

la agenda | date book

el
director general
managing director

el trato
business deal

---

vocabulario • vocabulary

la empresa company	el personal staff	el departamento de ventas sales department	el departamento legal legal department
la oficina central head office	la nómina payroll	el departamento de contabilidad accounting department	el departamento de atención al cliente customer service department
la sucursal branch	el sueldo salary	el departamento de márketing marketing department	el departamento de recursos humanos human resources department

---

la computadora (^C el ordenador) • computer

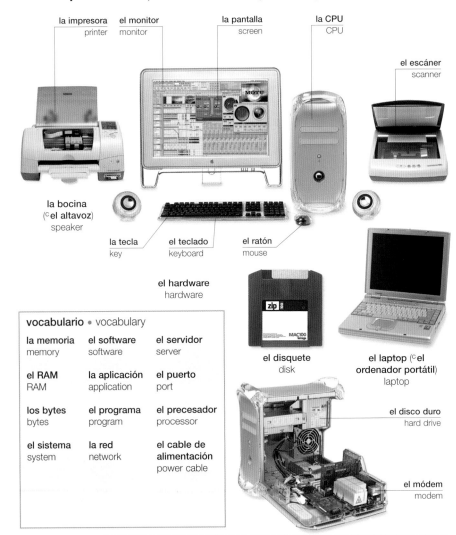

la impresora
printer

el monitor
monitor

la pantalla
screen

la CPU
CPU

el escáner
scanner

la bocina
(^C el altavoz)
speaker

la tecla
key

el teclado
keyboard

el ratón
mouse

el hardware
hardware

el disquete
disk

el laptop (^C el
ordenador portátil)
laptop

el disco duro
hard drive

el módem
modem

vocabulario • vocabulary

la memoria memory	**el software** software	**el servidor** server
el RAM RAM	**la aplicación** application	**el puerto** port
los bytes bytes	**el programa** program	**el precesador** processor
el sistema system	**la red** network	**el cable de alimentación** power cable

el escritorio • desktop

la barra del menú
menubar

la barra de herramientas
(ᶜ de acceso)
toolbar

el fondo
wallpaper

la fuente
font

el icono
icon

la barra
de desplazamiento
scrollbar

la ventana
window

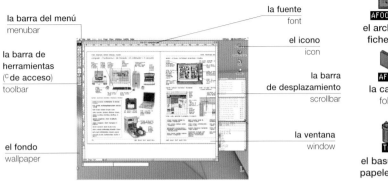

el archivo (ᶜ el fichero) | file

la carpeta
folder

el basurero (ᶜ la papelera) | trash

el internet • Internet

el navegador
browser

la bandeja
de entrada
inbox

el sitio web
website

navegar
browse (v)

el correo electrónico • email

la dirección de correo electrónico
email address

vocabulario • vocabulary

conectar connect (v)	**la cuenta de correo** email account	**en línea** online	**bajar** download (v)	**enviar** send (v)	**guardar** save (v)
instalar install (v)	**el proveedor de servicios** service provider	**entrar en el sistema** log on (v)	**el documento adjunto** attachment	**recibir** receive (v)	**buscar** search (v)

los medios de comunicación • media

el estudio de televisión • television studio

el presentador
host

el reflector
(ᶜel foco)
light

el plató
set

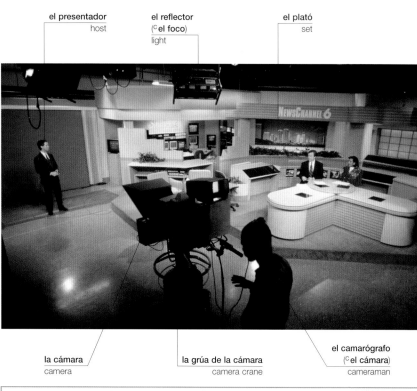

la cámara
camera

la grúa de la cámara
camera crane

el camarógrafo
(ᶜel cámara)
cameraman

---

vocabulario • vocabulary

el canal channel	el documental documentary	la prensa press	la telenovela soap	el concurso game show	en directo live
la programación programming	el noticiario news	la serie televisiva television series	transmitir (ᶜemitir) broadcast (v)	las caricaturas (ᶜlos dibujos animados) cartoon	pregrabado (ᵒen diferido) prerecorded

---

el entrevistador
interviewer

la reportera
reporter

el teleprompter
(ᶜ**el autocue**)
teleprompter

**la presentadora de
las noticias**
anchor

los actores
actors

el micrófono de aire
(ᶜ**la jirafa**) | sound boom

la pizarra (ᶜ**la claqueta**)
clapper board

el plató de rodaje
film set

la radio • radio

la consola
(ᶜ**la mesa
de mezclas**)
mixing desk

el micrófono
microphone

**el técnico de
sonido**
sound technician

el estudio de grabación | recording studio

vocabulario • vocabulary

**la estación de
radio**
radio station

el DJ (ᶜ**el
pinchadiscos**)
DJ

la transmisión
(ᶜ**la emisión**)
broadcast

**la longitud de
onda**
wavelength

la onda larga
long wave

la onda corta
short wave

la onda media
medium wave

la frecuencia
frequency

el volumen
volume

sintonizar
tune (v)

el derecho • law

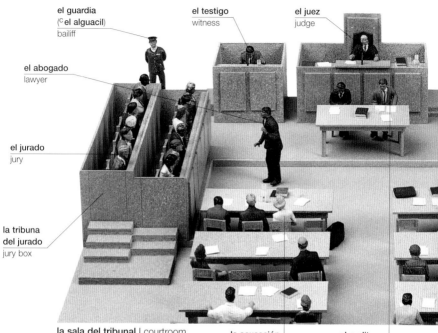

el guardia
(C el alguacil)
bailiff

el testigo
witness

el juez
judge

el abogado
lawyer

el jurado
jury

la tribuna
del jurado
jury box

la sala del tribunal | courtroom

la acusación
prosecution

el auditor
court official

---

vocabulario • vocabulary

el bufete lawyer's office	**la citación** summons	**la orden judicial** writ	**el juicio** court case
la asesoría jurídica legal advice	**la declaración** statement	**la fecha del juicio** court date	**el cargo** charge
el cliente client	**la orden judicial** warrant	**cómo se declara el acusado** plea	**el acusado** accused

---

la taquígrafa
court reporter

el criminal
criminal

el sospechoso
suspect

el acusado
defendant

la defensa
defense

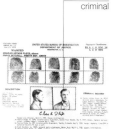

el retrato hablado
(ᶜel retrato robot)
facial composite

los antecedentes
criminal record

el celador (ᶜel funcionario
de prisiones)
prison guard

la celda
cell

la cárcel
prison

vocabulario • vocabulary

lel veredicto verdict	**absuelto** acquitted	**la fianza** bail	**Quiero ver a un abogado.** I want to see a lawyer.
inocente innocent	**la sentencia** sentence	**la apelación** appeal	**¿Dónde está el juzgado?** Where is the courthouse?
culpable guilty	**la evidencia** (ᶜ**la prueba**) evidence	**la libertad condicional** parole	**¿Puedo pagar la fianza?** Can I post bail?

la granja 1 • farm 1

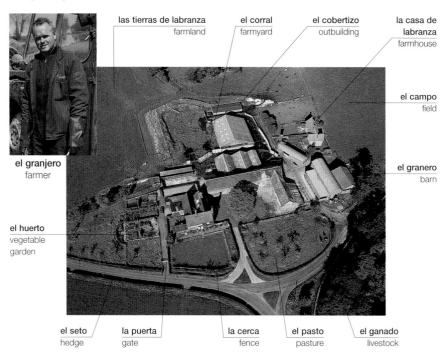

las tierras de labranza
farmland

el corral
farmyard

el cobertizo
outbuilding

la casa de
labranza
farmhouse

el campo
field

el granjero
farmer

el granero
barn

el huerto
vegetable
garden

el seto
hedge

la puerta
gate

la cerca
fence

el pasto
pasture

el ganado
livestock

el cultivador
cultivator

el tractor | tractor

la cosechadora | combine

los tipos de granja • types of farms

la cosecha
crop

la granja de tierras
cultivables
crop farm

la vaquería
dairy farm

el rebaño
flock

la granja de ganado
ovino
sheep farm

la granja avícola
poultry farm

la granja de ganado
porcino
pig farm

el criadero de peces
(ᶜ la piscifactoría)
fish farm

la granja de frutales
fruit farm

la viña
vine

el viñedo
vineyard

las actividades • actions

el surco
furrow

arar
plow (v)

sembrar
sow (v)

ordeñar
milk (v)

alimentar (ᶜ dar de comer)
feed (v)

regar | water (v)

recolectar | harvest (v)

vocabulario • vocabulary

el herbicida	la manada	el comedero
herbicide	herd	trough
el pesticida	el silo	plantar
pesticide	silo	plant (v)

la granja 2 • farm 2

los cultivos • crops

el trigo
wheat

el maíz
corn

la cebada
barley

la colza
rapeseed

el girasol
sunflower

la paca
bale

el heno
hay

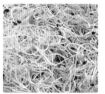

la alfalfa
alfalfa

el tabaco
tobacco

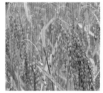

el arroz
rice

el té
tea

el café
coffee

el lino
flax

la caña de azúcar
sugarcane

el algodón
cotton

el espantapájaros
scarecrow

el ganado • livestock

el chanchito
(ᶜel cerdito)
piglet

el puerco (ᶜel cerdo)
pig

el ternero
calf

la vaca
cow

el toro
bull

la oveja
sheep

el cordero
lamb

el cabrito
kid

la cabra
goat

el potro
foal

el caballo
horse

el burro
donkey

el pollito
(ᶜel polluelo)
chick

la gallina
chicken

el gallo
rooster

el guajolote (ᶜel pavo)
turkey

el patito
duckling

el pato
duck

el establo
stable

el redil
pen

el gallinero
chicken coop

el chiquero (ᶜla pocilga)
pigsty

la construcción • construction

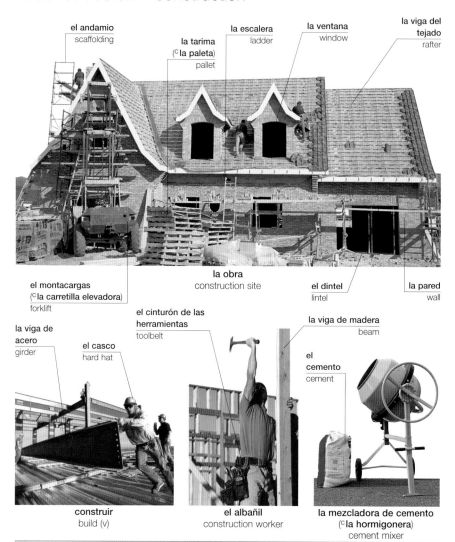

el andamio
scaffolding

la tarima
(^C**la paleta**)
pallet

la escalera
ladder

la ventana
window

la viga del tejado
rafter

la obra
construction site

el montacargas
(^C**la carretilla elevadora**)
forklift

el dintel
lintel

la pared
wall

la viga de acero
girder

el cinturón de las herramientas
toolbelt

la viga de madera
beam

el casco
hard hat

el cemento
cement

construir
build (v)

el albañil
construction worker

la mezcladora de cemento
(^C**la hormigonera**)
cement mixer

los materiales • materials

el ladrillo
brick

la madera
timber

la teja
roof tile

el bloque de hormigón
cinder block

las herramientas • tools

la argamasa
mortar

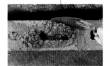
la paleta
trowel

el nivel
spirit level

el mango
handle

el mazo
sledgehammer

el zapapico
(^{C} **el pico**)
pickax

la pala
shovel

la maquinaria • machinery

la aplanadora
(^{C} **la apisonadora**)
steam roller

el camión de volteo
(^{C} **el camión volquete**)
dump truck

el soporte
support

el gancho
hook

la grúa | crane

las obras viales (^{C} **las obras**) • roadwork

el asfalto
tarmac

el cono
cone

el martillo neumático
pneumatic drill

el revestimiento
resurfacing

la pala mecánica
(^{C} **la excavadora mecánica**)
mechanical digger

los profesiones 1 • occupations 1

el carpintero
carpenter

el electricista
electrician

el plomero (ᶜel fontanero)
plumber

el albañil
construction worker

el jardinero
gardener

la aspiradora
vacuum cleaner

el empleado de la limpieza
cleaner

el mecánico
mechanic

el carnicero
butcher

las tijeras
scissors

la pescadera
fishmonger

el frutero
greengrocer

la florista
florist

el estilista
(ᶜel peluquero)
hairdresser

el peluquero
(ᶜel barbero)
barber

el joyero
jeweler

la vendedora
sales assistant

la agente inmobiliario
estate agent

el optometrista
(ᶜel óptico) | optician

la mascarilla
mask

la dentista
dentist

el médico
doctor

la farmacéutica
pharmacist

la enfermera
nurse

la veterinaria
vet

el agricultor
farmer

el pescador
fisherman

la metralleta
machine gun

la placa de
identificación
identity card

el uniforme
uniform

**el guardia de
seguridad**
security guard

el marino
sailor

el soldado
soldier

el policía
policeman

el bombero
fireman

las profesiones 2 • occupations 2

la maqueta
model

el abogado
lawyer

el contador (^C**el contable**)
accountant

el arquitecto
architect

el científico
scientist

la maestra (^C**el profesor**)
teacher

el bibliotecario
librarian

la recepcionista
receptionist

la cartera
mailbag

el cartero
mail carrier

el chófer
bus driver

el chófer
(^C**el camionero**)
truck driver

el taxista
taxi driver

el piloto
pilot

la sobrecargo
(^C**la azafata**)
flight attendant

la agente de viajes
travel agent

el gorro de
cocinero
chef's hat

el chef
chef

el tutú
tutu

el músico
musician

la bailarina
dancer

el actor
actor

la cantante
singer

la mesera
(ᶜ**la camarera**)
waitress

el barman
(ᶜ**el camarero**)
barman

el deportista
sportsman

el escultor
sculptor

la pintora
painter

el fotógrafo
photographer

el presentador
anchor

las notas
notes

el periodista
journalist

la redactora
editor

la diseñadora
designer

la modista
seamstress

el sastre
tailor

el transporte
transportation

las carreteras • roads

la autopista
highway

la caseta de
cobro (C de peaje)
toll booth

las señales de piso
(C las señales
horizontales)
road markings

la entrada
(C la vía de acceso)
entrance ramp

de sentido único
one-way

la línea divisoria
divider

el crucero
(C la salida)
junction

el semáforo
traffic light

el carril de baja
(C el carril para el
tráfico lento)
inside lane

el carril central
middle lane

el carril izquierdo
(C el carril de
adelantamiento)
outside lane

la rampa de salida
(C la vía de salida)
exit ramp

el tránsito
(C el tráfico)
traffic

el puente
(C el paso elevado)
overpass

el acotamiento
(C el arcén)
hard shoulder

el paso a desnivel
(C el paso
subterráneo)
underpass

el camión
truck

el muro de división
(C la mediana)
median strip

el paso de
peatones
crosswalk

el teléfono de
emergencia
emergency phone

el estacionamiento
(ᶜel aparcamiento)
para minusválidos
disabled parking
place

el tráfico (ᶜel atasco de tráfico)
traffic jam

el mapa
map

el parquímetro
parking meter

el policía de tránsito
(ᶜel policía de tráfico)
traffic policeman

vocabulario • vocabulary

la desviación (ᶜel desvío) detour	manejar (ᶜconducir) drive (v)	remolcar tow away (v)
estacionar (ᶜaparcar) park (v)	rebasar (ᶜadelantar) pass (v)	**la autovía** divided highway
la glorieta rotary	las obras roadworks	**¿Es ésta la carretera hacia...?** Is this the road to...?
meter reversa (ᶜdar marcha atrás) reverse (v)	el muro de contención (ᶜla barrera de seguridad) guardrail	**¿Dónde me puedo estacionar (ᶜaparcar)?** Where can I park?

las señales de tráqnsito • road signs

prohibido el
paso
no entry

el límite de
velocidad
speed limit

peligro
hazard

prohibido
parar
no stopping

no dar vuelta (ᶜno
torcer) a la derecha
no right turn

el autobús • bus

el asiento del conductor
driver's seat

la barandilla
handrail

la puerta automática
automatic door

la rueda delantera
front wheel

el portaequipaje
luggage hold

la puerta | door

el autocar | bus

los tipos de autobuses • types of buses

el número de ruta
route number

el chófer
(C el conductor)
driver

el autobús de dos pisos
double-decker bus

el tranvía
tram

el trolebús
streetcar

el autobús escolar | school bus

la rueda trasera
rear wheel

la ventanilla
(ᶜla ventana)
window

el botón de
parada
stop button

el boleto (ᶜel
billete) de autobús
bus ticket

el timbre
bell

la estación de autobuses
bus station

la parada de
autobús
bus stop

vocabulario • vocabulary

la tarifa fare	**la marquesina** bus shelter
el horario timetable	**la rampa para sillas de ruedas** wheelchair access
¿Para usted en...? Do you stop at...?	**¿Qué autobús va a...?** Which bus goes to...?

el microbús
minibus

el autobús turístico | tourist bus

el autobús directo (ᶜde enlace) | shuttle bus

el carro (^Cel coche) 1 • car 1

el exterior • exterior

el espejo lateral
(^Cel retrovisor
exterior)
mirror

el cofre
(^Cel capó)
hood

el parabrisas
windshield

el espejo
retrovisor
rearview mirror

el limpiaparabrisas
windscreen wiper

la puerta
door

la cajuela
(^C el
maletero)
trunk

la direccional
(^Cel intermitente)
turn signal

la matrícula
license plate

la defensa (^Cel
parachoques)
bumper

el faro
headlight

la rueda
wheel

la llanta (^Cel
neumático)
tire

el equipaje
luggage

la baca
roof rack

la puerta abatible
(^Cla puerta del maletero)
tailgate

el cinturón de
seguridad
seat belt

la silla para niños
child seat

los modelos • types

el compacto
subcompact

el carro (ᶜel coche) de cinco puertas
hatchback

el carro familiar (ᶜel turismo)
sedan

la camioneta (ᶜel coche ranchera)
station wagon

el convertible (ᶜel coche descapotable)
convertible

el carro deportivo
sports car

la minivan (ᶜel monovolumen)
minivan

la doble tracción (ᶜel todoterreno)
four-wheel drive

el auto (ᶜel coche) de época
vintage

la limousine
limousine

la gasolinera • gas station

la bomba (ᶜel surtidor)
gas pump

el precio
price

la zona de abastecimiento
forecourt

la bomba del aire
air hose

vocabulario • vocabulary

el aceite oil	**el diesel** diesel	**el anticongelante** antifreeze
la gasolina gasoline	**con plomo** leaded	**el auto-lavado** (ᶜel lavadero de coches) car wash
sin plomo unleaded	**el taller** garage	**el líquido limpiaparabrisas** windshield wiper fluid

Llénelo (ᶜLleno) **por favor.**
Fill it up, please.

el carro (ᶜel coche) 2 • car 2

el interior • interior

el asiento trasero	el reposabrazos	el reposacabezas	el seguro (ᶜel pestillo)	la manija (ᶜel tirador)
backseat	armrest	headrest	door lock	handle

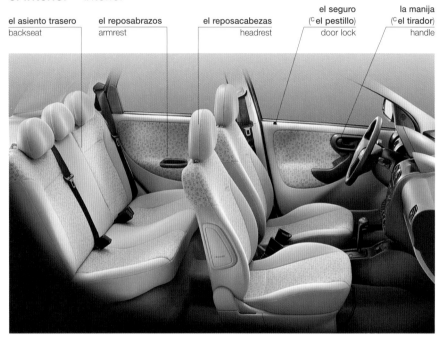

---

vocabulario • vocabulary

dos puertas	de cuatro	automático	el freno	el acelerador
two-door	**puertas**	automatic	brake	accelerator
	four-door			
de tres		**el**	**el**	**el aire**
puertas	**manual**	**encendido**	**embrague**	**acondicionado**
three-door	manual	ignition	clutch	air-conditioning

¿Me puede decir cómo se va a...?	**¿Dónde hay un**	**¿Se puede estacionar**
Can you tell me the way to...?	**estacionamiento** (ᶜparking)?	(ᶜaparcar) aquí?
	Where is the parking lot?	Can I park here?

---

los controles • controls

el
volante
steering
wheel

el claxon
(^Cla bocina)
horn

el tablero
(^Cel salpicadero)
dashboard

las luces de
emergencia
hazard lights

la navegación por satélite
satellite navigation

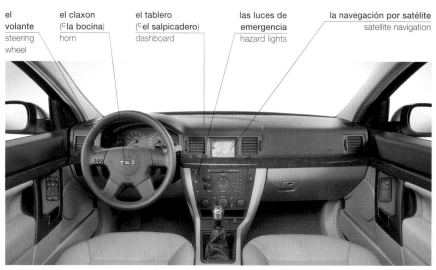

el volante a la izquierda | left-hand drive

el indicador de
temperatura
temperature gauge

la radio
del coche
car stereo

la calefacción
heater controls

la palanca de
velocidades
(^Cde cambios)
gearshift

el tacómetro
(^Cel cuentarrevoluciones)
tachometer

el velocímetro
(^Cel indicador de
velocidad)
speedometer

el indicador de
la gasolina
fuel gauge

la palanca (^Cel
conmutador)
de luces
light switch

el odómetro
(^Cel cuenta-
kilómetros)
odometer

la bolsa de aire
(^Cel airbag)
air bag

el volante a la derecha | right-hand drive

el carro (^Cel coche) 3 • car 3

la mecánica • mechanics

el depósito del limpiaparabrisas
washer fluid reservoir

la varilla del nivel del aceite
dipstick

el filtro del aire
air filter

el depósito del líquido de frenos
brake fluid reservoir

la batería
battery

la chapa
bodywork

el depósito del líquido refrigerante
coolant reservoir

la culata
cylinder head

el tubo
pipe

el quemacocos (^Cel techo solar)
sunroof

el radiador
radiator

el ventilador
fan

el motor
engine

el tapón (^Cel tapacubo)
hubcap

la caja de cambios
gearbox

la transmisión
transmission

el eje de la transmisión
drive shaft

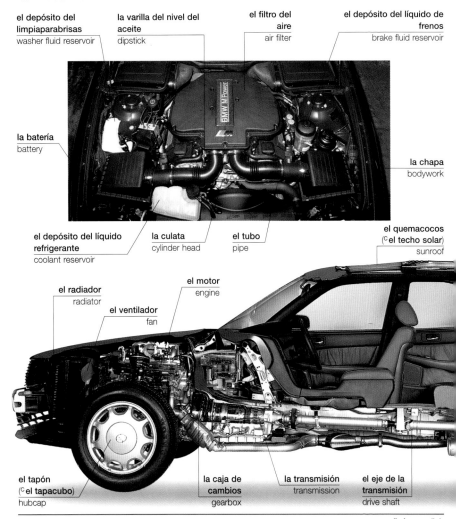

español • english

la ponchadura (ᶜel pinchazo) • flat tire

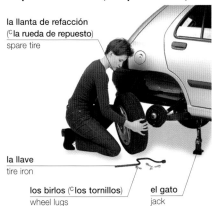

la llanta de refacción
(ᶜla rueda de repuesto)
spare tire

la llave
tire iron

los birlos (ᶜlos tornillos)
wheel lugs

el gato
jack

cambiar una llanta (ᶜuna rueda)
change a tire (v)

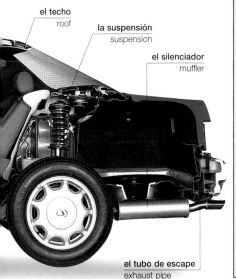

el techo
roof

la suspensión
suspension

el silenciador
muffler

el tubo de escape
exhaust pipe

vocabulario • vocabulary

el accidente de carro car accident	**el tanque de la gasolina** petrol tank
la avería breakdown	**el turbo** turbocharger
el seguro insurance	**el distribuidor** distributor
la grúa tow truck	**el ralentí** timing
el mecánico mechanic	**el chasis** chassis
la presión del neumático tire pressure	**la banda del disco** (ᶜla correa del disco) cam belt
la caja de fusibles fuse box	**el freno de mano** parking brake
la bujía spark plug	**la banda del ventilador** (ᶜla correa del ventilador) fan belt
el alternador alternator	

Se descompuso el carro.
(ᶜMi coche se ha averiado.)
My car has broken down.

El carro no arranca.
(ᶜMi coche no arranca.)
My car won't start.

la motocicleta • motorcycle

el casco
helmet

la direccional
(^Cel intermitente)
turn signal

el velocímetro
(^Cel cuenta-
kilómetros)
speedometer

el freno
brake

el embrague
clutch

el claxon
horn

el acelerador
throttle

el portaequipaje
carrier

los controles
controls

el reflector
(^Cel captafaros)
reflector

el asiento trasero
passenger seat

el asiento
seat

el motor
engine

el tanque de la
gasolina
fuel tank

la luz trasera
taillight

el tubo de escape
exhaust pipe

el silenciador
muffler

el depósito del aceite
oil tank

la caja de velocidades
(^Cde cambios)
gearbox

el filtro del aire
air filter

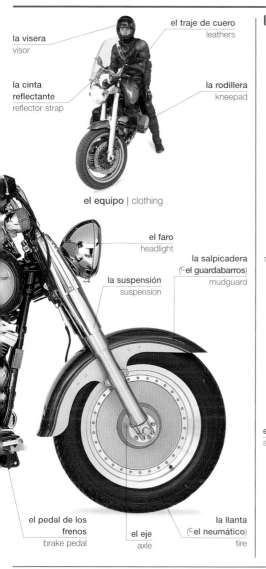

la visera
visor

el traje de cuero
leathers

la cinta
reflectante
reflector strap

la rodillera
kneepad

el equipo | clothing

el faro
headlight

la salpicadera
(^{C}el guardabarros)
mudguard

la suspensión
suspension

el pedal de los
frenos
brake pedal

el eje
axle

la llanta
(^{C}el neumático)
tire

los tipos • types

la moto de carreras | racing bike

el parabrisas
windshield

la moto de carretera | tourer

la motocross | dirt bike

el soporte
stand

la vespa | scooter

la bicicleta • bicycle

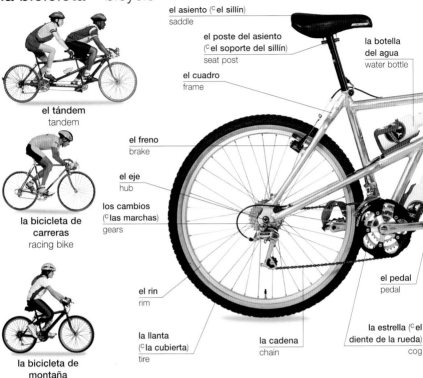

el asiento (ᶜ el sillín)
saddle

el poste del asiento
(ᶜ el soporte del sillín)
seat post

la botella
del agua
water bottle

el cuadro
frame

el freno
brake

el eje
hub

los cambios
(ᶜ las marchas)
gears

el rin
rim

la llanta
(ᶜ la cubierta)
tire

la cadena
chain

el pedal
pedal

la estrella (ᶜ el
diente de la rueda)
cog

el tándem
tandem

la bicicleta de
carreras
racing bike

la bicicleta de
montaña
mountain bike

la bicicleta de paseo
touring bike

el casco
helmet

la bicicleta de pista
(ᶜ de carretera)
road bike

el carril de bicicletas | cycle lane

el tubo superior
crossbar

el manubrio
(C el manillar)
handlebar

la palanca de cambio
gear lever

la palanca
de la llanta
tire lever

el parche
patch

los frenos
brake lever

el kit de reparaciones | repair kit

las tijeras
(C la horquilla)
fork

la llave
key

el rayo
(C el radio)
spoke

la bomba
pump

el candado
lock

la llanta
(C la rueda)
wheel

la válvula
valve

la banda de rodadura
tread

la cámara
inner tube

la silla para el niño
child seat

---

vocabulario • vocabulary

el faro light	el cable cable	el engrane (C el piñón) sprocket	la dinamo dynamo	el calzapié toe clip	frenar brake (v)
el faro trasero rear light	el reflector (C el captafaros) reflector	las ruedas de apoyo stabilizers	la canastilla (C la cesta) basket	la banda del calzapié (C la correa del calzapié) toe strap	andar (C ir) en bicicleta cycle (v)
la patilla de apoyo kickstand	el rack (C la baca) para bicicletas bike rack	la goma (C el taco) del freno brake block	la ponchadura (C el pinchazo) flat tire	pedalear pedal (v)	cambiar de velocidad (C marcha) change gear (v)

---

el tren · train

el vagón
carriage

el andén
platform

el carrito
cart

el número de
andén
platform number

el viajero
de cercanías
commuter

la estación de tren | train station

los tipos de tren · types of train

la locomotora
engine

la cabina del
conductor
conducter's
cabin

el riel (ᶜel raíl)
rail

el tren de vapor
steam train

el tren diesel | diesel train

el tren eléctrico
electric train

el tren de alta velocidad
high-speed train

el monorriel (ᶜel monorraíl)
monorail

el metro
underground train

el tranvía
streetcar

el tren de carga
(ᶜel tren de mercancías)
freight train

el portaequipajes
luggage rack

la ventanilla
window

la puerta
door

el asiento
seat

el compartimento
compartment

la vía
track

la barrera
ticket barrier

el altavoz (^Cel sistema
de megafonía)
public address system

el horario
timetable

el boleto (^Cel billete)
ticket

el vagón restaurante | dining car

el vestíbulo | concourse

el cochecama
sleeping compartment

---

vocabulario • vocabulary

la red ferroviaria railroad network	el plano del metro underground map	la taquilla ticket office	el riel electrificado live rail
el tren intercity inter-city train	el retraso delay	cambiar change (v)	la señal signal
la hora pico (^Cla hora punta) rush hour	el precio fare	el checador (^Cel revisor) ticket inspector	la palanca de emergencia emergency lever

el avión • aircraft

el avión de pasajeros • airliner

la nariz
(C el morro)
nose

la cabina
de pilotaje
cockpit

el motor
engine

el fuselaje
fuselage

el ala
wing

la cola
tail

el timón
rudder

el tren
delantero
nosewheel

la salida
exit

el tren de aterrizaje
landing gear

el alerón
aileron

la aleta
fin

el estabilizador
tailplane

la cabina • cabin

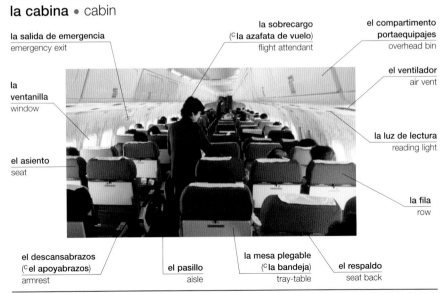

la salida de emergencia
emergency exit

la sobrecargo
(C la azafata de vuelo)
flight attendant

el compartimento
portaequipajes
overhead bin

el ventilador
air vent

la
ventanilla
window

la luz de lectura
reading light

el asiento
seat

la fila
row

el descansabrazos
(C el apoyabrazos)
armrest

el pasillo
aisle

la mesa plegable
(C la bandeja)
tray-table

el respaldo
seat back

el ultraligero
ultralight

el planeador
glider

el biplano
biplane

la hélice
propeller

el globo aerostático
hot-air balloon

la avioneta
light aircraft

el hidroavión
seaplane

el jet privado
private jet

el aspa
rotor blade

el avión supersónico
supersonic jet

el misil
missile

el helicóptero
helicopter

el avión de bombardeo
bomber

el caza
fighter plane

vocabulario • vocabulary

el piloto pilot	**despegar** take off (v)	**aterrizar** land (v)	**la clase turista** economy class	**el equipaje de mano** carry-on luggage
el copiloto copilot	**voler** fly (v)	**la altitud** altitude	**la clase preferente** business class	**el cinturón de seguridad** seatbelt

el aeropuerto • airport

la pista de estacionamiento
apron

el remolque del equipaje
baggage trailer

la terminal
terminal

el vehículo de servicio
service vehicle

la pasarela
jetway

el avión de línea | airliner

---

vocabulario • vocabulary

la pista runway	**la aduana** customs	**la seguridad** security	**las vacaciones** vacation
el vuelo internacional international flight	**el número de vuelo** flight number	**la banda transportadora** (ᶜ**la cinta de equipajes**) baggage carousel	**reservar un vuelo** make a flight reservation (v)
el vuelo nacional domestic flight	**inmigración** immigration	**la máquina de rayos x** X-ray machine	**la torre de control** control tower
la conexión connection	**el exceso de equipaje** excess baggage	**el folleto de viajes** travel brochure	**hacer check-in** (ᶜ**facturar**) check in (v)

el equipaje de mano
carry-on luggage

el equipaje
luggage

el carrito
(ᶜ el carro)
cart

el mostrador de check-in
check-in desk

la visa
(ᶜ el visado)
visa

el pasaporte | passport

el control de pasaportes
passport control

la tarjeta de embarque
boarding pass

el boleto (ᶜ el billete)
ticket

el número de puerta de embarque
gate number

las salidas
departures

la sala de embarque
departure lounge

el destino
destination

las llegadas
arrivals

la pantalla informativa
information screen

el duty-free (ᶜ la tienda libre de impuestos)
duty-free store

la recogida de equipajes
baggage claim

el sitio de taxis
(ᶜ la parada de taxis)
taxi stand

la renta de carros
(ᶜ el alquiler de coches)
car rental

el barco • ship

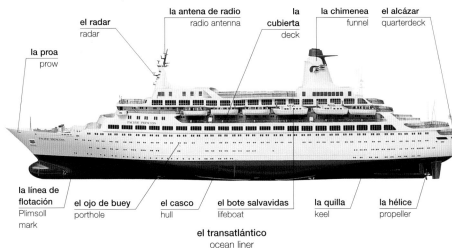

la antena de radio
radio antenna

el radar
radar

la
cubierta
deck

la chimenea
funnel

el alcázar
quarterdeck

la proa
prow

la línea de
flotación
Plimsoll
mark

el ojo de buey
porthole

el casco
hull

el bote salvavidas
lifeboat

la quilla
keel

la hélice
propeller

el transatlántico
ocean liner

el puente
bridge

la sala de máquinas
engine room

el camarote
cabin

la cocina
galley

vocabulario • vocabulary

el muelle dock	**el cabrestante** windlass
el puerto port	**el capitán** captain
la pasarela gangway	**la lancha de motor** el capitán
el ancla anchor	**la barca de remos** rowboat
el noray bollard	**la piragua** canoe

otras embarcaciones • other ships

el ferry
ferryboat

el motor fueraborda
outboard motor

la zodiac
inflatable dinghy

el hidrodeslizador
hydrofoil

el yate
yacht

el catamarán
catamaran

el remolcador
tugboat

el aerodeslizador
hovercraft

el barco carguero (ᶜ**el buque portacontenedores**)
container ship

las jarcias
rigging

el barco de vela
sailboat

la bodega
hold

el buque de carga
freighter

el buque tanque
(ᶜ **el petrolero**)
oil tanker

el portaaviones
aircraft carrier

el barco de guerra
battleship

la falsa torre
conning tower

el submarino
submarine

el puerto • port

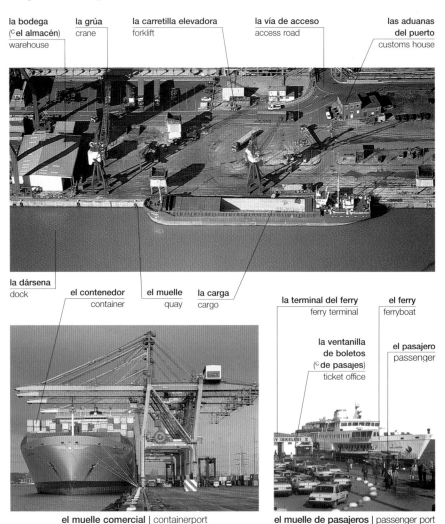

la bodega
(ᶜel almacén)
warehouse

la grúa
crane

la carretilla elevadora
forklift

la vía de acceso
access road

las aduanas
del puerto
customs house

la dársena
dock

el contenedor
container

el muelle
quay

la carga
cargo

la terminal del ferry
ferry terminal

el ferry
ferryboat

la ventanilla
de boletos
(ᶜde pasajes)
ticket office

el pasajero
passenger

el muelle comercial | containerport

el muelle de pasajeros | passenger port

la red
net

el barco pesquero
(^Cel barco de pesca)
fishing boat

el punto de amarre
mooring

el puerto deportivo
marina

el puerto pesquero (^Cel puerto de pesca)
fishing port

el puerto
harbor

el embarcadero
pier

el espigón
jetty

el astillero
shipyard

la lámpara
lantern

el faro
lighthouse

la boya
buoy

los deportes
sports

el fútbol americano • football

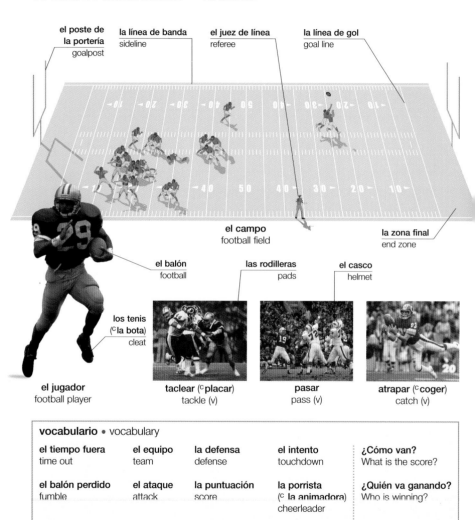

el poste de la portería
goalpost

la línea de banda
sideline

el juez de línea
referee

la línea de gol
goal line

el campo
football field

la zona final
end zone

el balón
football

las rodilleras
pads

el casco
helmet

los tenis
(c la bota)
cleat

el jugador
football player

taclear (c placar)
tackle (v)

pasar
pass (v)

atrapar (c coger)
catch (v)

vocabulario • vocabulary

el tiempo fuera time out	el equipo team	la defensa defense	el intento touchdown	¿Cómo van? What is the score?
el balón perdido fumble	el ataque attack	la puntuación score	la porrista (c la animadora) cheerleader	¿Quién va ganando? Who is winning?

el rugby • rugby

la portería
goal

la zona de marca
in-goal area

la línea de banda
touch line

la línea de fondo
dead ball line

la bandera
flag

el campo de rugby | rugby field

el balón
ball

lanzar
throw (v)

el uniforme de
rugby
rugby uniform

patear (ᶜ**chutar**)
kick (v)

pasar
pass (v)

taclear (ᶜ**placar**)
tackle (v)

el intento (ᶜ**el ensayo**)
try

el jugador
player

la abierta | ruck

la cerrada (ᶜ**la melée**) | scrum

el fútbol • soccer

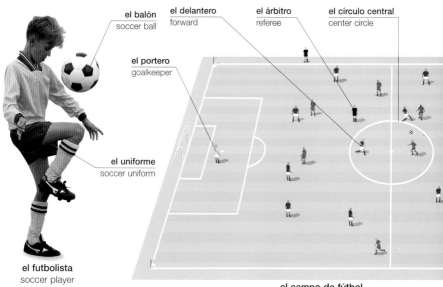

el balón
soccer ball

el delantero
forward

el árbitro
referee

el círculo central
center circle

el portero
goalkeeper

el uniforme
soccer uniform

el futbolista
soccer player

el campo de fútbol
soccer field

el poste
goalpost

la red
net

el larguero
crossbar

el gol | goal

regatear | dribble (v)

cabecear (^c**tirar de cabeza**) | head (v)

la barrera
wall

el tiro libre | free kick

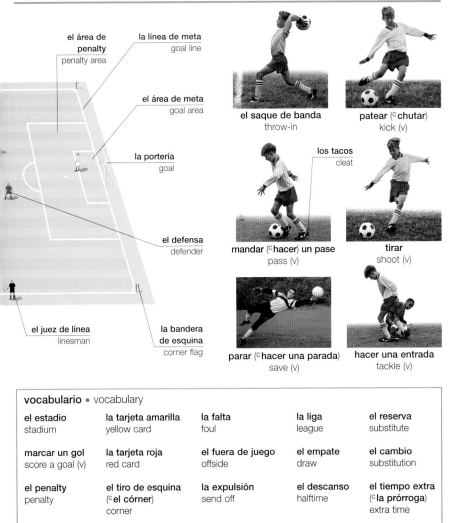

el área de penalty
penalty area

la línea de meta
goal line

el área de meta
goal area

la portería
goal

el defensa
defender

el juez de línea
linesman

la bandera de esquina
corner flag

el saque de banda
throw-in

patear (ᶜchutar)
kick (v)

los tacos
cleat

mandar (ᶜhacer) un pase
pass (v)

tirar
shoot (v)

parar (ᶜhacer una parada)
save (v)

hacer una entrada
tackle (v)

vocabulario • vocabulary

el estadio stadium	la tarjeta amarilla yellow card	la falta foul	la liga league	el reserva substitute
marcar un gol score a goal (v)	la tarjeta roja red card	el fuera de juego offside	el empate draw	el cambio substitution
el penalty penalty	el tiro de esquina (ᶜel córner) corner	la expulsión send off	el descanso halftime	el tiempo extra (ᶜla prórroga) extra time

el hockey • hockey

el hockey sobre hielo • ice hockey

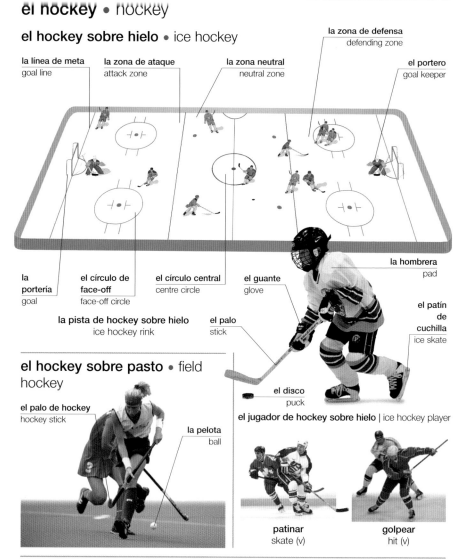

la línea de meta
goal line

la zona de ataque
attack zone

la zona neutral
neutral zone

la zona de defensa
defending zone

el portero
goal keeper

la
portería
goal

el círculo de
face-off
face-off circle

el círculo central
centre circle

el guante
glove

la hombrera
pad

el patín
de
cuchilla
ice skate

la pista de hockey sobre hielo
ice hockey rink

el palo
stick

el disco
puck

el jugador de hockey sobre hielo | ice hockey player

el hockey sobre pasto • field hockey

el palo de hockey
hockey stick

la pelota
ball

patinar
skate (v)

golpear
hit (v)

el críquet • cricket

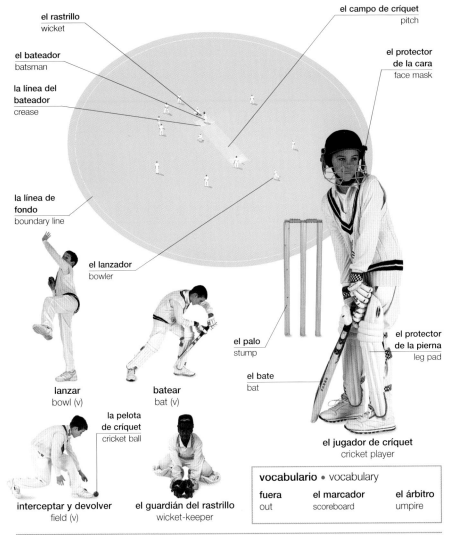

el rastrillo
wicket

el bateador
batsman

la línea del
bateador
crease

la línea de
fondo
boundary line

el campo de críquet
pitch

el protector
de la cara
face mask

el lanzador
bowler

el palo
stump

el bate
bat

el protector
de la pierna
leg pad

lanzar
bowl (v)

batear
bat (v)

la pelota
de críquet
cricket ball

el jugador de críquet
cricket player

interceptar y devolver
field (v)

el guardián del rastrillo
wicket-keeper

vocabulario • vocabulary		
fuera	el marcador	el árbitro
out	scoreboard	umpire

el baloncesto • basketball

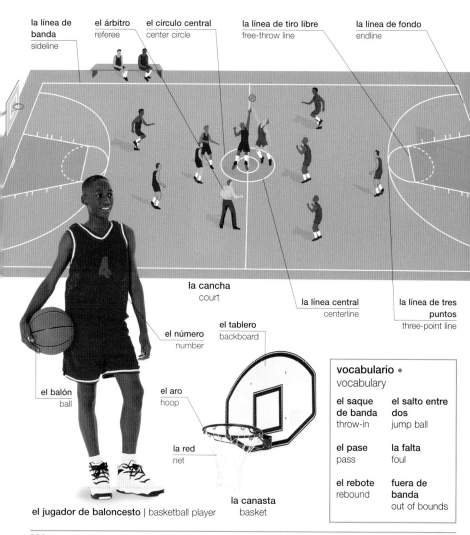

la línea de banda | sideline

el árbitro | referee

el círculo central | center circle

la línea de tiro libre | free-throw line

la línea de fondo | endline

la cancha | court

la línea central | centerline

la línea de tres puntos | three-point line

el número | number

el tablero | backboard

el balón | ball

el aro | hoop

la red | net

la canasta | basket

el jugador de baloncesto | basketball player

vocabulario • vocabulary

el saque de banda | throw-in

el salto entre dos | jump ball

el pase | pass

la falta | foul

el rebote | rebound

fuera de banda | out of bounds

las acciones • actions

lanzar
throw (v)

cachar (ᶜ**coger**)
catch (v)

tirar
shoot (v)

saltar
jump (v)

marcar
cover (v)

bloquear
block (v)

botar
dribble (v)

marcar
dunk (v)

el vóleibol (ᶜel balonvolea) • volleyball

bloquear
block (v)

la red
net

recibir
dig (v)

el árbitro
referee

la rodillera
knee support

la cancha | court

el béisbol • baseball

el campo • field

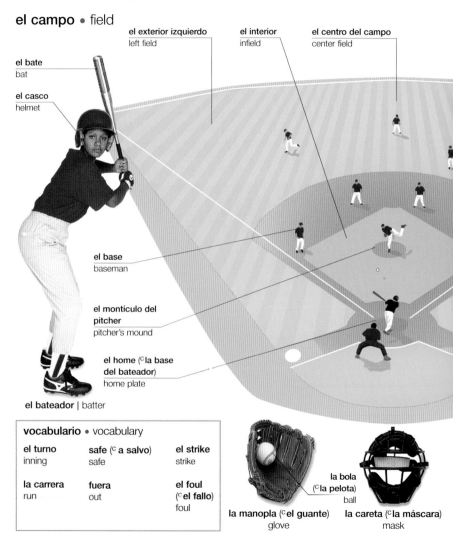

el exterior izquierdo
left field

el interior
infield

el centro del campo
center field

el bate
bat

el casco
helmet

el base
baseman

el montículo del pitcher
pitcher's mound

el home (ᶜla base del bateador)
home plate

el bateador | batter

---

vocabulario • vocabulary

el turno inning	safe (ᶜa salvo) safe	el strike strike
la carrera run	fuera out	el foul (ᶜel fallo) foul

la bola
(ᶜla pelota)
ball

la manopla (ᶜel guante)
glove

la careta (ᶜla máscara)
mask

las acciones • actions

el exterior
outfield

el exterior derecho
right field

la línea
de falta
foul line

el equipo
team

la banca
(ᶜ el banquillo)
dugout

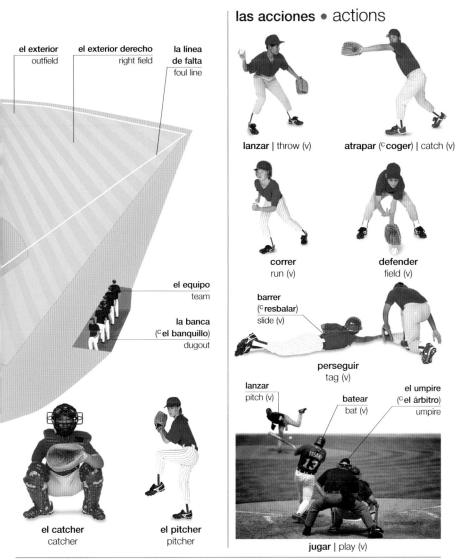

lanzar | throw (v)

atrapar (ᶜcoger) | catch (v)

correr
run (v)

defender
field (v)

barrer
(ᶜresbalar)
slide (v)

perseguir
tag (v)

lanzar
pitch (v)

batear
bat (v)

el umpire
(ᶜel árbitro)
umpire

el catcher
catcher

el pitcher
pitcher

jugar | play (v)

el tenis • tennis

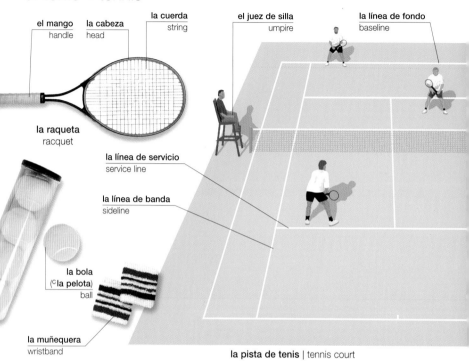

el mango — handle
la cabeza — head
la cuerda — string
la raqueta — racquet
el juez de silla — umpire
la línea de fondo — baseline
la línea de servicio — service line
la línea de banda — sideline
la bola (ᶜ la pelota) — ball
la muñequera — wristband

la pista de tenis | tennis court

vocabulario • vocabulary

el juego game	**el set** set	**nada** love	**la falta** fault	**el peloteo** rally	**el efecto** spin
los dobles doubles	**el partido** match	**la ventaja** advantage	**el as** ace	**¡red!** let!	**el juez de línea** linesman
el singles (ᶜ **el individual**) singles	**el tiebreak** tiebreaker	**cuarenta iguales** deuce	**la dejada** dropshot	**el tiro con efecto** slice	**el campeonato** championship

la red
net

el remate (^Cel mate)
smash

el recogebolas
(^Cel recogepelotas)
ballboy

sacar
serve (v)

los tenis
tennis shoes

el jugador
player

los golpes • strokes

el servicio
serve

la volea
volley

el resto
return

el globo
lob

el derecho
forehand

el revés
backhand

los juegos de raqueta • racquet games

el gallo
(^Cel volante)
shuttlecock

la raqueta
(^Cla pala)
bat

el bádminton
badminton

el ping-pong
table tennis

el squash
squash

el racketball
racquetball

el golf • golf

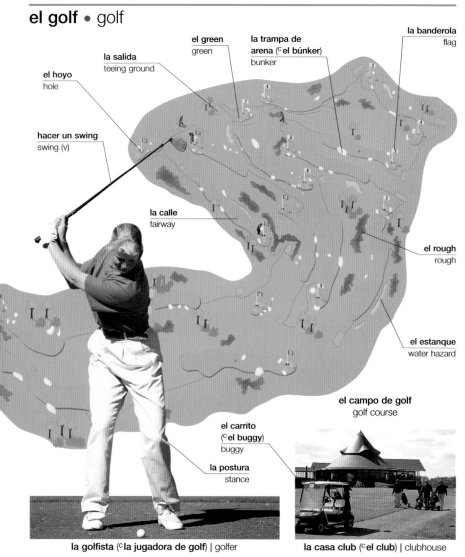

el hoyo
hole

la salida
teeing ground

el green
green

la trampa de arena (ᶜ**el búnker**)
bunker

la banderola
flag

hacer un swing
swing (v)

la calle
fairway

el rough
rough

el estanque
water hazard

el campo de golf
golf course

el carrito (ᶜ**el buggy**)
buggy

la postura
stance

la golfista (ᶜ**la jugadora de golf**) | golfer

la casa club (ᶜ**el club**) | clubhouse

el equipo • equipment

la bola (^Cla pelota) de golf
golf ball

el tee
tee

el guante
glove

el carrito de golf
bag cart

el paraguas
umbrella

la bolsa de golf
golf bag

los spikes (^Clos clavos)
spikes

el zapato de golf
golf shoe

los palos de golf • golf clubs

la madera
wood

el putter
putter

el fierro
iron

el wedge
wedge

las acciones • actions

salir
tee-off (v)

hacer un drive
drive (v)

tirar al hoyo con un putter
putt (v)

hacer un chip
chip (v)

---

vocabulario • vocabulary

el par par	**el sobre par** over par	**el handicap** handicap	**el caddy** caddy	**el golpe** stroke	**el backswing** backswing
el bajo par under par	**el hoyo en uno** hole in one	**el torneo** tournament	**los espectadores** spectators	**el swing de práctica** practice swing	**la línea de juego** line of play

el atletismo • track and field

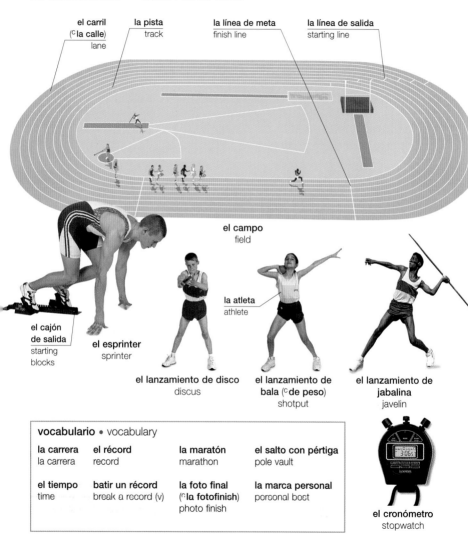

el carril
(ᶜla calle)
lane

la pista
track

la línea de meta
finish line

la línea de salida
starting line

el campo
field

la atleta
athlete

el cajón
de salida
starting
blocks

el esprinter
sprinter

el lanzamiento de disco
discus

el lanzamiento de
bala (ᶜde peso)
shotput

el lanzamiento de
jabalina
javelin

el cronómetro
stopwatch

vocabulario • vocabulary

la carrera la carrera	**el récord** record	**la maratón** marathon	**el salto con pértiga** pole vault
el tiempo time	**batir un récord** break a record (v)	**la foto final** (ᶜla fotofinish) photo finish	**la marca personal** personal best

español • english

el relevo
(ᶜ el testigo)
baton

la barra
(ᶜ el listón)
bar

la carrera de relevos
relay race

el salto de altura
high jump

el salto de longitud
long jump

la carrera de vallas
hurdles

la gimnasia • gymnastics

el trampolín
springboard

la gimnasta
gymnast

el caballo
horse

el salto mortal
somersault

la viga (ᶜ la barra) de equilibrio
beam

el listón
(ᶜ la cinta)
ribbon

el tapete
mat

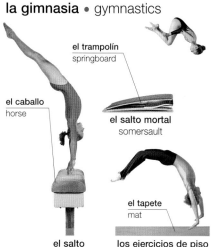

el salto
vault

los ejercicios de piso
(ᶜ de suelo)
floor exercises

la voltereta
cartwheel

la gimnasia rítmica
rhythmic gymnastics

---

vocabulario • vocabulary

las barras paralelas (ᶜ **las paralelas**) parallel bars	**las barras asimétricas** asymmetric bars	**las argollas** (ᶜ **las anillas**) rings	**las medallas** medals	**la plata** silver
la barra fija horizontal bar	**el caballo con arcos** pommel horse	**el podio** podium	**el oro** gold	**el bronce** bronze

los deportes de combate • combat sports

el adversario
opponent

el protector
guard

el karate
karate

el guante
glove

el cinturón
belt

el taekwondo
tae kwon do

la careta
mask

el judo
judo

la espada
sword

el aikido
aikido

el kendo
kendo

el kung fu
kung fu

el full contact
kickboxing

la lucha libre
wrestling

el boxeo
boxing

español • english

los movimientos • actions

la caída
fall

el agarre
hold

el derribo
throw

la inmovilización
pin

la patada
kick

el puñetazo
punch

el golpe
strike

el salto
jump

el bloqueo (ᶜ**la parada**)
block

el golpe
chop

vocabulario • vocabulary

el ring boxing ring	**el combate** bout	**el puño** fist	**el cinturón negro** black belt	**la capoeira** capoeira
los guantes de boxeo boxing gloves	**el round** (ᶜ**el asalto**) round	**el K.O.** knockout	**la defensa personal** self-defense	**el sumo** sumo wrestling
el protegedientes mouth guard	**el entrenamiento** sparring	**el saco de arena** punching bag	**las artes marciales** martial arts	**el tai-chi** tai-chi

la natación • swimming
el equipo • equipment

la pinza para la nariz
nose clip

el flotador de brazo
swim band

los goggles (^clas gafas de natación)
goggles

la tabla (^cel flotador)
kickboard

el traje de baño
swimsuit

la gorra (^cel gorro de baño)
swimming cap

el carril (^cla calle)
lane

el agua
water

el cajón de salida
starting block

el traje de baño (^cel bañador)
trunks

la alberca (^cla piscina)
swimming pool

el nadador | swimmer

el trampolín
diving board

el clavadista
diver

tirarse un clavado | dive (v)

nadar | swim (v)

el giro | turn

los estilos • styles

el crol
front crawl

el pecho (ᶜ**la braza**)
breaststroke

la brazada
stroke

la patada
kick

el dorso (ᶜ**la espalda**) | backstroke

la mariposa | butterfly

el buceo • scuba diving

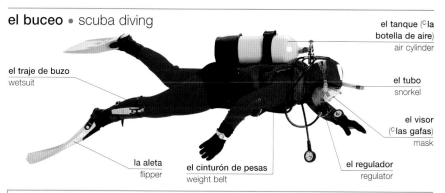

el tanque (ᶜla
botella de aire)
air cylinder

el traje de buzo
wetsuit

el tubo
snorkel

el visor
(ᶜlas gafas)
mask

la aleta
flipper

el cinturón de pesas
weight belt

el regulador
regulator

vocabulario • vocabulary

el clavado (ᶜel salto) dive	hacer agua tread water (v)	el salvavidas (ᶜel socorrista) lifeguard	la zona profunda deep end	la zona poco profunda shallow end	el calambre (ᶜel tirón) cramp
el clavado (ᶜel salto) alto high dive	el clavado (ᶜel salto) de salida racing dive	las taquillas lockers	el waterpolo water polo	el nado sincronizado synchronized swimming	ahogarse drown (v)

la vela • sailing

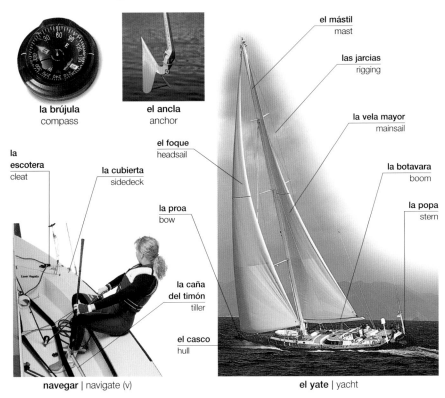

la brújula
compass

el ancla
anchor

el mástil
mast

las jarcias
rigging

la vela mayor
mainsail

el foque
headsail

la
escotera
cleat

la cubierta
sidedeck

la botavara
boom

la popa
stern

la proa
bow

la caña
del timón
tiller

el casco
hull

navegar | navigate (v)

el yate | yacht

la seguridad • safety

la bengala
flare

el salvavidas
life preserver

el chaleco salvavidas
life jacket

la balsa salvavidas
life raft

los deportes acuáticos • watersports

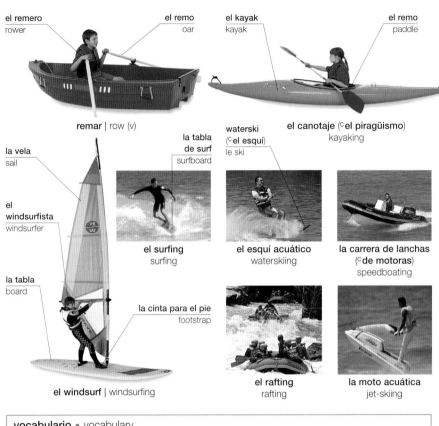

el remero
rower

el remo
oar

remar | row (v)

el kayak
kayak

el remo
paddle

waterski
(ᶜel esquí)
le ski

el canotaje (ᶜel piragüismo)
kayaking

la vela
sail

la tabla
de surf
surfboard

el
windsurfista
windsurfer

el surfing
surfing

el esquí acuático
waterskiing

la carrera de lanchas
(ᶜde motoras)
speedboating

la tabla
board

la cinta para el pie
footstrap

el windsurf | windsurfing

el rafting
rafting

la moto acuática
jet-skiing

vocabulario • vocabulary

el surfista surfer	la tripulación crew	el viento wind	la rompiente surf	la escota sheet	la orza centerboard
el esquiador acuático waterskier	virar tack (v)	la ola wave	los rápidos rapids	el timón rudder	volcar capsize (v)

la equitación • horseback riding

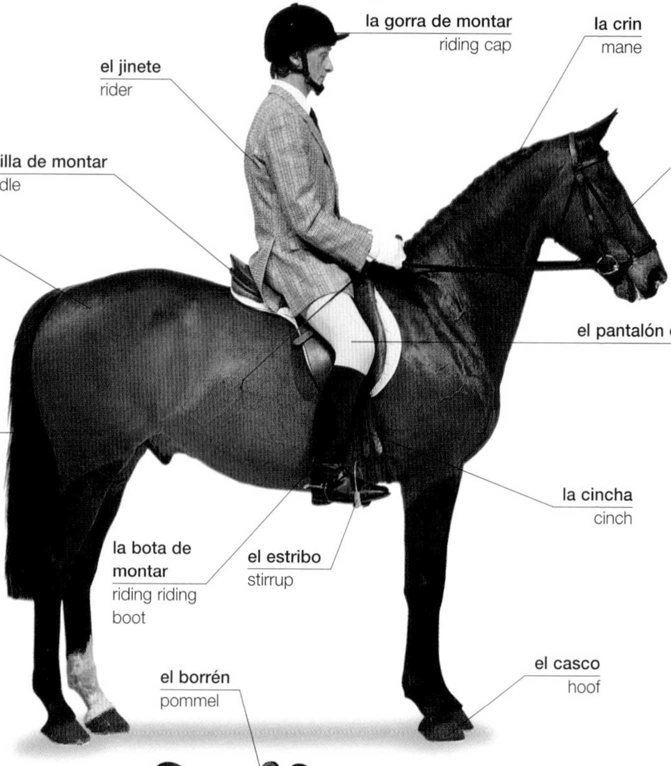

la gorra de montar
riding cap

la crin
mane

el jinete
rider

las riendas
reins

la silla de montar
saddle

el caballo
horse

el pantalón de montar
jodhpurs

la cola
tail

la cincha
cinch

la bota de montar
riding riding boot

el estribo
stirrup

el casco
hoof

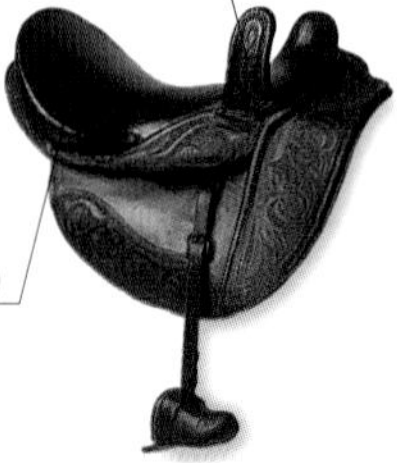

el borrén
pommel

la silla
(C el sillín)
seat

la frontalera
browband

la muserola
noseband

el freno
(C el bocado)
bit

la herradura
horseshoe

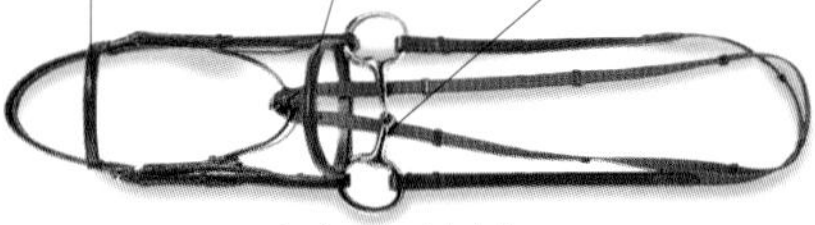

la silla de montar de escaramuza
(C de señora) | sidesaddle

la brida | bridle

la fusta | riding crop

las modalidades • events

el caballo de carreras
racehorse

la valla
fence

la carrera de caballos
horse race

la carrera de obstáculos
steeplechase

la carrera al trote
harness race

el rodeo
rodeo

el concurso de saltos
show jumping

la carrera de carrozas
carriage race

el paseo
trekking

la doma y monta
dressage

el polo
polo

vocabulario • vocabulary

el paso walk	**el medio galope** canter	**el salto** jump	**el cabestro** halter	**el cercado** paddock	**el hipódromo** racecourse
el trote trot	**el galope** gallop	**el mozo de cuadra** groom	**la cuadra** stable	**el ruedo** arena	**la carrera sin obstáculos** flat race

la pesca • fishing

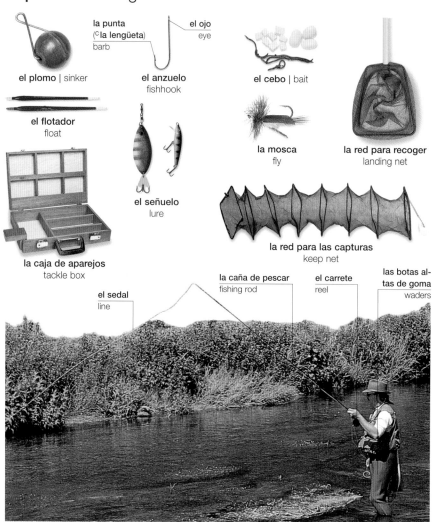

el plomo | sinker

la punta
(^{c}**la lengüeta**)
barb

el ojo
eye

el anzuelo
fishhook

el cebo | bait

el flotador
float

la mosca
fly

la red para recoger
landing net

el señuelo
lure

la caja de aparejos
tackle box

la red para las capturas
keep net

el sedal
line

la caña de pescar
fishing rod

el carrete
reel

**las botas al-
tas de goma**
waders

el pescador de caña | fisherman

los tipos de pesca • types of fishing

la pesca en agua dulce
freshwater fishing

la pesca con mosca
fly fishing

la pesca deportiva
sport fishing

la pesca de altura
deep sea fishing

la pesca en la orilla
surfcasting

las acciones • activities

lanzar
cast (v)

atrapar (ᶜcoger)
catch (v)

recoger
reel in (v)

atrapar (ᶜcoger)
con la red
net (v)

soltar
release (v)

vocabulario • vocabulary

cebar bait (v)	**los aparejos** tackle	**la ropa impermeable** rain clothes	**la licencia de pesca** fishing license	**la nasa** creel
picar bite (v)	**el carrete** spool	**la pértiga** pole	**la pesca en alta mar** marine fishing	**la pesca con arpón** spearfishing

el esquí • skiing

la pista
ski slope

la telesilla
chairlift

la góndola
(ᶜ el teleférico)
cable car

el traje de esquí
ski suit

el bastón
ski pole

el guante
glove

la pista de esquí
ski run

la barrera de
seguridad
safety barrier

la bota de esquí
ski boot

el esquí
ski

el canto
edge

la esquiadora
skier

la punta
tip

las modalidades • events

el descenso
downhill skiing

el poste
gate

el slálom
slalom

el salto
ski jump

el esquí de fondo
cross-country skiing

los deportes de invierno • winter sports

la escalada en hielo
ice climbing

el patinaje sobre hielo
ice skating

los goggles
(ᶜ las gafas)
goggles

el patín
skate

el patinaje artístico
figure skating

el snowboarding
snowboarding

el bobsleigh
bobsled

el luge
luge

vocabulario • vocabulary

el esquí alpino
alpine skiing

el trineo con perros
dogsledding

el slálom gigante
giant slalom

el biatlón
biathlon

fuera de pista
off-piste

la avalancha
avalanche

el curling
curling

el patinaje de velocidad
speed skating

la moto de nieve
snowmobile

tirarse en trineo
sledding

los otros deportes • other sports

el planeador
glider

el ala delta
hang-glider

el vuelo sin motor
gliding

el paracaídas
parachute

el vuelo con ala delta
hang-gliding

la cuerda
rope

la escalada
rock climbing

el paracaidismo
parachuting

el parapente
parasailing

el paracaidismo en caída libre
skydiving

el rappel
abseiling

el salto bungee (^{c}el puenting)
bungee jumping

el rally
rally driving

el piloto
de carreras
race-car
driver

el automovilismo
auto racing

el motocross
motocross

el motociclismo
motorbike racing

la patineta
(ᶜ**el monopatín**)
skateboard

el patín de ruedas
rollerskate

andar en patineta
(ᶜ**montar en monopatín**)
skateboarding

el patinaje
roller skating

el palo
stick

el lacrosse
lacrosse

la
máscara
mask

el florete
foil

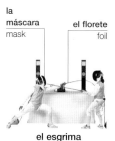

el esgrima
fencing

el pino (ᶜel bolo)
pin

el arco
bow

la flecha
arrow

el carcaj
quiver

el tiro con arco
archery

la diana
target

el tiro
target shooting

la bola
de boliche
(ᶜ**de bowling**)
bowling ball

el boliche (ᶜ**los bolos**)
bowling

el pool (ᶜ**el billar
americano**) | pool

el billar
snooker

la forma física • fitness

la bicicleta
exercise bike

la máquina de ejercicios
gym machine

el banco
bench

las pesas
free weights

la barra
bar

el gimasio
gym

la máquina de remos
rowing machine

la banda caminadora
treadmill

la máquina de cross
elliptical trainer

la entrenadora
personal
personal trainer

la máquina de step
step machine

la alberca
(ᶜla piscina)
swimming pool

el sauna
sauna

los ejercicios • exercises

el estiramiento
stretch

la flexión con estiramiento
lunge

los leotardos
tights

la flexión
push-up

la pesa
dumbbell

ponerse en cuclillas
squat

el abdominal
sit-up

el ejercicio de bíceps
bicep curl

los ejercicios de piernas
leg press

las zapatillas
running shoes

la barra de pesas
weight bar

la camiseta
vest

los ejercicios pectorales
chest press

el levantamiento de pesas
weight training

el jogging
(ᶜel footing)
jogging

los aerobics
(ᶜel aerobic)
aerobics

vocabulario • vocabulary

entrenar train (v)	correr en parada jog in place (v)	estirar extend (v)	el pilates Pilates	la tabla de gimnasia circuit training
calentar warm up (v)	flexionar flex (v)	levantar pull up (v)	la gimnasia prepugilística boxercise	saltar a la comba jumping rope

el ocio
leisure

el teatro • theater

el telón
curtain

los bastidores
wings

la escenografía
(C el decorado)
set

el público
audience

la orquesta
orchestra

el escenario | stage

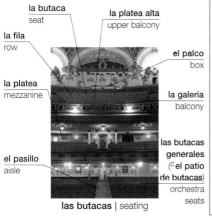

la butaca
seat

la platea alta
upper balcony

la fila
row

el palco
box

la platea
mezzanine

la galería
balcony

el pasillo
aisle

las butacas
generales
(C el patio
de butacas)
orchestra
seats

las butacas | seating

vocabulario • vocabulary

la obra play	**el director** director	**el estreno** opening night
el reparto cast	**el productor** producer	**el programa** program
el actor actor	**el guión** script	**el foso de la** **orquesta** orchestra pit
la actriz actress	**el telón de** **fondo** backdrop	**el entreacto** (C **el descanso**) intermission

el concierto
concert

el musical
musical

el vestuario
(ᶜel traje)
costume

el ballet
ballet

vocabulario • vocabulary

el acomodador
usher

la música clásica
classical music

la partitura
musical score

la banda sonora
soundtrack

aplaudir
applaud (v)

el bis
encore

Quisiera dos entradas para la sesión de esta noche.
I'd like two tickets for tonight's performance.

¿A qué hora empieza?
What time does it start?

la ópera
opera

el cine • movies

las
palomitas
popcorn

el
vestíbulo
lobby

la taquilla
box office

el
póster
poster

el cine
movie theater

la pantalla
screen

vocabulario • vocabulary

la comedia
comedy

la película de suspenso
thriller

la película de miedo
horror movie

la película de vaqueros (ᶜdel oeste)
Western

la película romántica
romance

la película de ciencia ficción
science fiction movie

la película de aventuras
adventure

la película de dibujos animados
animated movie

la orquesta • orchestra

la cuerda • strings

el arpa
harp

el director de orquesta
conductor

el contrabajo
double bass

el violín
violin

el podio
podium

la viola
viola

el violoncelo
cello

la partitura
score

la clave de sol
treble clef

la nota
note

el pentagrama
staff

la clave de fa
bass clef

el piano | piano

la notación | notation

---

vocabulario • vocabulary

la obertura	la sonata	la pausa	sostenido	natural	la escala
overture	sonata	rest	sharp	natural	scale
la sinfonía	los instrumentos	el tono	bemol	la barra	la batuta
symphony	instruments	pitch	flat	bar	baton

---

el viento-madera • woodwind

| **el flautín** | **la flauta** | **el oboe** | **el corno inglés** | |
| piccolo | flute | oboe | English horn | |

| **el clarinete** | **el clarinete bajo** | **el fagote** | **el contrafagote** | **el saxofón** |
| clarinet | bass clarinet | bassoon | double bassoon | saxophone |

la percusión • percussion

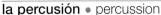

los bongos
bongos

el tambor pequeño
snare drum

el timbal
kettledrum

el gong
gong

el triángulo
triangle

las maracas
maracas

los platillos
cymbals

el pandero
(ᶜ**la pandereta**)
tambourine

la marimba (ᶜ**el vibráfono**)
vibraphone

el viento-metal • brass

| **la trompeta** | **el trombón de varas** | **el corno de caza** | **la tuba** |
| trumpet | trombone | French horn | tuba |

el concierto • concert

el vocalista
(ᶜel cantante)
lead singer

el micrófono
microphone

el baterista
(ᶜel batería)
drummer

el guitarrista
guitarist

los fans
fans

el bajista
(ᶜel bajo)
bass guitarist

la bocina
(ᶜel altavoz)
speaker

el concierto de rock | rock concert

los instrumentos • instruments

la pastilla
pickup

el mástil
neck

el traste
fret

la clavija
tuning peg

el puente
bridge

la cuerda
string

el tambor
drum

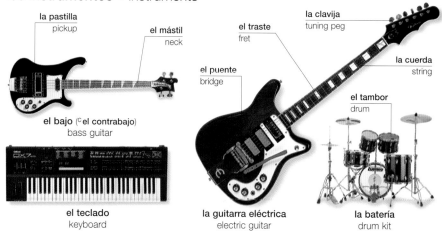

el bajo (ᶜel contrabajo)
bass guitar

el teclado
keyboard

la guitarra eléctrica
electric guitar

la batería
drum kit

los estilos musicales • musical styles

el jazz
jazz

el blues
blues

el punk
punk

la música folklórica (ᶜfolk)
folk music

el pop
pop

la música de baile
dance

el rap
rap

el heavy metal
heavy metal

la música clásica
classical music

vocabulario • vocabulary

la canción	**la letra**	**la melodía**	**el ritmo**	**el reggae**	**la música country**	**el reflector** (ᶜel foco)
song	lyrics	melody	beat	reggae	country	spotlight

el turismo • sightseeing

el turista
tourist

la atracción turística | tourist attraction

el itinerario
itinerary

descubierto
open-top

el autobús turístico | tour bus

la guía turística
tour guide

la estatuilla
figurine

la visita guiada
(ᶜla visita con guía)
guided tour

los recuerdos
souvenirs

vocabulario • vocabulary

el precio de entrada admission charge	la guía del viajero guidebook	la película film	la izquierda left	¿Dónde está…? Where is…?
abierto open	la cámara de vídeo camcorder	la cámara (ᶜla máquina) fotográfica camera	la derecha right	Estoy perdido. (ᶜMe he perdido.) I'm lost.
cerrado closed	las pilas batteries	las indicaciones directions	recto straight ahead	¿Podría decirme cómo se va a…? Can you tell me the way to….?

los lugares de interés • attractions

el cuadro
painting

la muestra
exhibit

la exposición
exhibition

la ruina famosa
famous ruin

la galería de arte
(c **el museo de arte**)
art gallery

el monumento
monument

el museo
museum

el edificio histórico
historic building

el casino
casino

los jardines
garden

el parque nacional
national park

la información • information

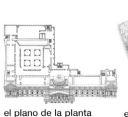

las horas
times

el plano de la planta
floor plan

el mapa (c **el plano**)
map

el horario
timetable

**la oficina de
información**
tourist information

las actividades al aire libre • outdoor activities

el
sendero
footpath

el reloj de sol
sundial

la cafetería
café

el parque | park

el pasto
(ᶜla hierba)
grass

la banca
(ᶜel banco)
bench

los jardines
clásicos
formal gardens

la montaña rusa
roller coaster

la feria
fair

el parque de diversiones
(ᶜel parque de atracciones)
amusement park

el safari park
wildlife park

el zoológico (ᶜel zoo)
zoo

las actividades • activities

el ciclismo
cycling

el jogging
jogging

la patineta
(ᶜ**montar en patinete**)
skateboarding

el patinaje
rollerblading

el sendero para caballos
riding trail

la canasta
(ᶜ la cesta)
hamper

la ornitología
bird watching

la equitación
horseback riding

la caminata
(ᶜ **el senderismo**)
hiking

el picnic
picnic

---

el área de juegos • playground

el cajón de arena
sandbox

la alberca (ᶜ**la piscina**)
de plástico
wading pool

los columpios
swing

el subibaja | seesaw

la resbaladilla (ᶜ**el tobogán**)
slide

el changuero
(ᶜ**la estructura para escalar**)
climber

la playa • beach

el hotel
hotel

la sombrilla
beach umbrella

la caseta
beach hut

la arena
sand

la ola
wave

el mar
sea

la bolsa de playa
beach bag

el bikini
bikini

asolear (^c**tomar el sol**) | sunbathe (v)

el salvavidas
(ᶜel socorrista)
lifeguard

la torre de vigilancia
lifeguard tower

**la barrera contra el
viento**
windbreak

el paseo marítimo
promenade

el asoleadero (ᶜla hamaca)
deck chair

los lentes obscuros
(ᶜlas gafas de sol)
sunglasses

**el sombrero para
el sol**
sunhat

el bronceador
(ᶜla crema bronceadora)
suntan lotion

la crema protector
(ᶜla crema protectora)
sunblock

la pelota de playa
beach ball

la llanta (ᶜel flotador)
rubber ring

el traje de baño
(ᶜel bañador)
swimsuit

la cubeta
(ᶜel cubo)
pail

la pala
shovel

el castillo de arena
sandcastle

la toalla de playa
beach towel

la concha
shell

el camping • camping

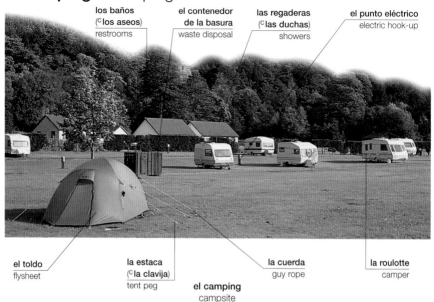

los baños
(ᶜlos aseos)
restrooms

el contenedor
de la basura
waste disposal

las regaderas
(ᶜlas duchas)
showers

el punto eléctrico
electric hook-up

el toldo
flysheet

la estaca
(ᶜla clavija)
tent peg

la cuerda
guy rope

la roulotte
camper

el camping
campsite

vocabulario • vocabulary

acampar
camp (v)

la oficina del director
manager's office

hay lugares (ᶜplazas) libres
sites available

lleno (ᶜcompleto)
full

el lugar (ᶜla plaza)
site

el catre de campaña
cot

poner (ᶜmontar) una tienda
pitch a tent (v)

el tubo (ᶜel palo) de la tienda
tent pole

la mesa de picnic
picnic bench

la hamaca
hammock

el cámper
camper van

el remolque
trailer

el carbón vegetal
charcoal

la hoguera
campfire

la pastilla para fogatas
firelighter

encender una fogata
light a fire (v)

la estructura
frame

el suelo aislante
ground cloth

la mochila
backpack

el termo
thermos

la cantimplora
water bottle

la tienda de campaña
tent

el repelente de
insectos
insect repellent

la linterna
flashlight

el mosquitero
mosquito net

la ropa térmica
(ᶜtermoaislante)
thermal underwear

las botas de trekking
hiking boots

la manga
(ᶜla ropa impermeable)
rain clothes

el saco de dormir
sleeping bag

la estufilla (ᶜel hornillo)
camp stove

la parrilla (ᶜla barbacoa)
grill

la esterilla
sleeping mat

la colchoneta | air mattress

el entretenimiento (^C el ocio) en el hogar • home entertainment

el discman
personal CD player

la grabadora de minidisks
mini disc recorder

el lector de MP3
MP3 player

el disco de DVD
DVD

el reproductor de DVD
DVD player

el tocadiscos
record player

el lector de discos compactos
CD player

la bocina
(^C el altavoz)
speaker

la radio
radio

el amplificador
amplifier

los audífonos
(^C los auriculares)
headphones

el pie de la bocina
(^C el pie del altavoz)
speaker stand

el mueble
stereo rack

el equipo de alta fidelidad
stereo system

el videocasete
(ᶜla cinta de vídeo)
videotape

la videocasetera
VCR

la pantalla
screen

el borde del ocular
eyecup

la cámara de vídeo
camcorder

la antena parabólica
satellite dish

la televisión de
pantalla panorámica
widescreen television

la consola
console

los controles
controller

el videojuego | video game

el avance rápid
fast-forward

la pausa
pause

el botón para
grabar
record

el volumen
volume

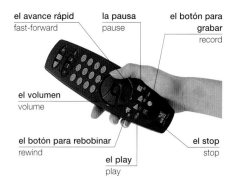

el botón para rebobinar
rewind

el play
play

el stop
stop

el control remoto (ᶜel mando a distancia)
remote control

vocabulario • vocabulary

el disco compacto CD	**la película** (ᶜel largometraje) feature film	**la televisión por cable** cable television	**el canal de pago por evento** pay-per-view channel	**apagar la televisión** turn off the television (v)
el casete cassette tape	**el anuncio** advertisement	**el programa** programme	**ver la televisión** watch television (v)	**sintonizar la radio** tune the radio (v)
la casetera (ᶜel magnetofón) cassette player	**digital** digital	**cambiar de canal** change channels (v)	**encender la televisión** turn on the television (v)	**estéreo** stereo

la fotografía • photography

el indicador de fotos
frame counter

el flash
flash

el obturador
(ᶜla rueda del diafragma)
aperture dial

el filtro
filter

el disparador
shutter release

la tapa del lente
(ᶜobjetivo)
lens cap

la rueda de la velocidad
shutter-speed dial

el lente
(ᶜel objetivo)
lens

la cámara réflex | SLR camera

el flash electrónico
flash gun

el fotómetro
light meter

el zoom (ᶜel teleobjetivo)
zoom lens

el tripié (ᶜel trípode)
tripod

los tipos de cámara • types of camera

la cámara digital
digital camera

la cámara APS
APS camera

la cámara Polaroid
instant camera

la cámara desechable
disposable camera

fotografiar • photograph (v)

el carrete
film spool

la pellicola
(ᶜla película)
film

enfocar
focus (v)

revelar
develop (v)

el negativo
negative

apaisado
landscape

en formato vertical
portrait

la fotografía | photograph

el álbum de fotos
photo album

el portarretratos
picture frame

los problemas • problems

subexpuesto
underexposed

sobreexpuesto
overexposed

desenfocado
out of focus

los ojos rojos
red eye

vocabulario • vocabulary

el visor viewfinder	**la foto (revelada)** print
la funda de la cámara camera case	**mate** mat
la exposición exposure	**con brillo** gloss
el cuarto oscuro darkroom	**la ampliación** enlargement

Me gustaría revelar este rollo.
I'd like this film processed.

los juegos • games

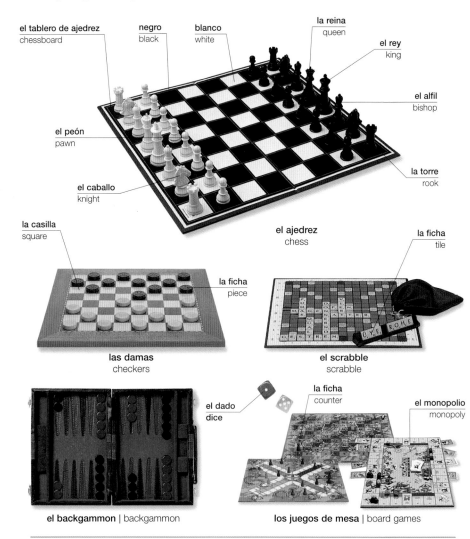

el tablero de ajedrez
chessboard

negro
black

blanco
white

la reina
queen

el rey
king

el alfil
bishop

el peón
pawn

la torre
rook

el caballo
knight

la casilla
square

el ajedrez
chess

la ficha
tile

la ficha
piece

las damas
checkers

el scrabble
scrabble

el dado
dice

la ficha
counter

el monopolio
monopoly

el backgammon | backgammon

los juegos de mesa | board games

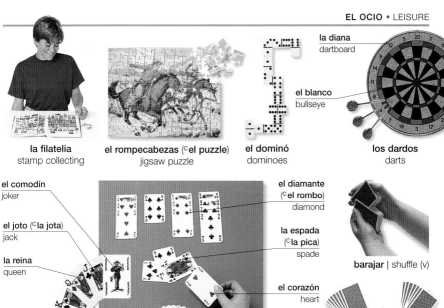

la diana
dartboard

el blanco
bullseye

la filatelia
stamp collecting

el rompecabezas (ᶜel puzzle)
jigsaw puzzle

el dominó
dominoes

los dardos
darts

el comodín
joker

el diamante
(ᶜel rombo)
diamond

la espada
(ᶜla pica)
spade

barajar | shuffle (v)

el joto (ᶜla jota)
jack

la reina
queen

el corazón
heart

el rey
king

el as
ace

el trébol
club

las cartas
cards

repartir (ᶜdar) | deal (v)

---

vocabulario • vocabulary

el turno move	ganar win (v)	el perdedor loser	el punto point	el bridge bridge	¿A quién le toca? Whose turn is it?
jugar play (v)	el ganador winner	la partida game	la puntuación score	la baraja deck of cards	Te toca a ti. It's your move.
el jugador player	perder lose (v)	la apuesta bet	el póquer poker	el palo suit	Tira los dados. Roll the dice.

---

las manualidades 1 • arts and crafts 1

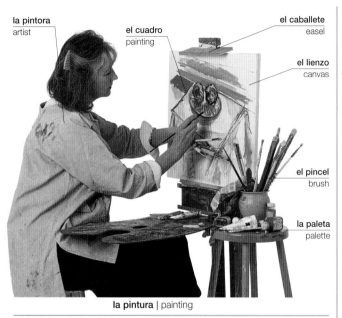

la pintora
artist

el cuadro
painting

el caballete
easel

el lienzo
canvas

el pincel
brush

la paleta
palette

la pintura | painting

los colores • colors

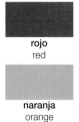

rojo
red

azul
blue

amarillo
yellow

verde
green

naranja
orange

morado
purple

blanco
white

negro
black

gris
gray

rosa
pink

marrón
brown

azul añil
indigo

las pinturas • paints

las pinturas al óleo
oil paints

las acuarelas
watercolors

los pasteles
pastels

la pintura acrílica
acrylic paint

la témpera
poster paint

las otras manualidades • other crafts

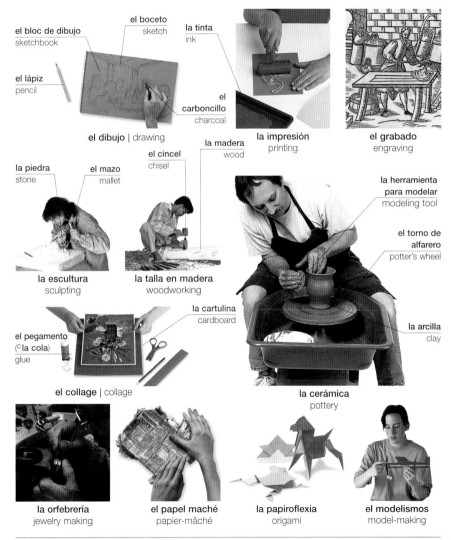

el bloc de dibujo
sketchbook

el lápiz
pencil

el boceto
sketch

la tinta
ink

el carboncillo
charcoal

el dibujo | drawing

la impresión
printing

el grabado
engraving

la madera
wood

la piedra
stone

el mazo
mallet

el cincel
chisel

la escultura
sculpting

la talla en madera
woodworking

la herramienta
para modelar
modeling tool

el torno de
alfarero
potter's wheel

la arcilla
clay

la cartulina
cardboard

el pegamento
(ᶜ la cola)
glue

el collage | collage

la cerámica
pottery

la orfebrería
jewelry making

el papel maché
papier-mâché

la papiroflexia
origami

el modelismos
model-making

las manualidades 2 • arts and crafts 2

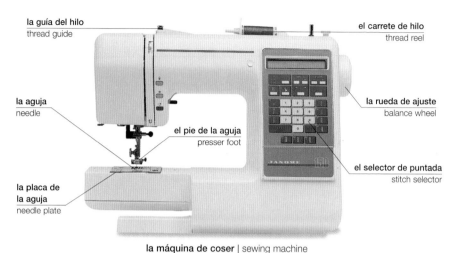

la guía del hilo
thread guide

el carrete de hilo
thread reel

la aguja
needle

la rueda de ajuste
balance wheel

el pie de la aguja
presser foot

la placa de
la aguja
needle plate

el selector de puntada
stitch selector

la máquina de coser | sewing machine

las tijeras
scissors

el patrón
pattern

el alfiletero
pincushion

la cinta métrica
tape measure

la tela
material

el alfiler
pin

el costurero | sewing basket

el hilo
thread

la hembra
(ᶜel ojo)
eye

la bobina
bobbin

el macho (ᶜel corchete)
hook

el dedal
thimble

el jaboncillo
tailor's chalk

el maniquí
tailor's dummy

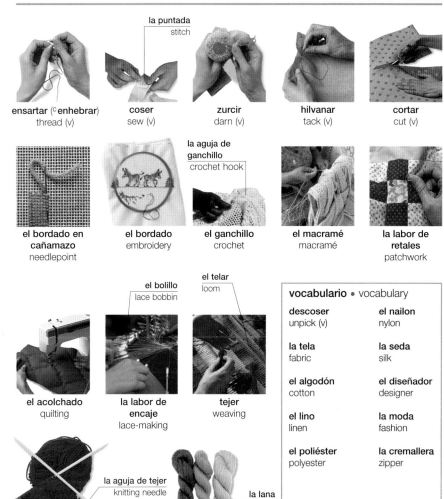

la puntada
stitch

ensartar (ᶜenhebrar)
thread (v)

coser
sew (v)

zurcir
darn (v)

hilvanar
tack (v)

cortar
cut (v)

el bordado en
cañamazo
needlepoint

el bordado
embroidery

la aguja de
ganchillo
crochet hook

el ganchillo
crochet

el macramé
macramé

la labor de
retales
patchwork

el bolillo
lace bobbin

el telar
loom

el acolchado
quilting

la labor de
encaje
lace-making

tejer
weaving

la aguja de tejer
knitting needle

la lana
yarn

la labor de punto | knitting

la madeja | skein

vocabulario • vocabulary

descoser
unpick (v)

el nailon
nylon

la tela
fabric

la seda
silk

el algodón
cotton

el diseñador
designer

el lino
linen

la moda
fashion

el poliéster
polyester

la cremallera
zipper

el medio ambiente
environment

el espacio • space

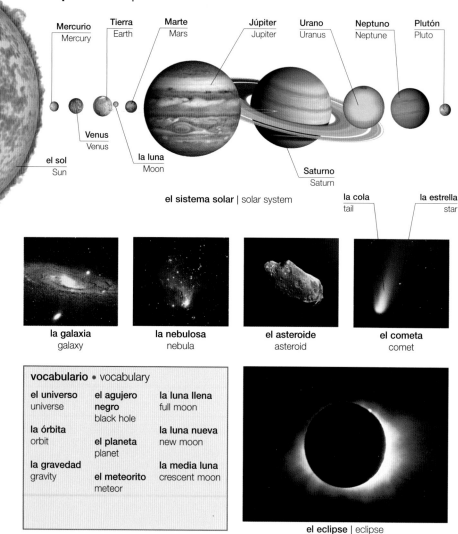

Mercurio
Mercury

Tierra
Earth

Marte
Mars

Júpiter
Jupiter

Urano
Uranus

Neptuno
Neptune

Plutón
Pluto

Venus
Venus

la luna
Moon

el sol
Sun

Saturno
Saturn

el sistema solar | solar system

la cola
tail

la estrella
star

la galaxia
galaxy

la nebulosa
nebula

el asteroide
asteroid

el cometa
comet

vocabulario • vocabulary		
el universo universe	**el agujero negro** black hole	**la luna llena** full moon
la órbita orbit	**el planeta** planet	**la luna nueva** new moon
la gravedad gravity	**el meteorito** meteor	**la media luna** crescent moon

el eclipse | eclipse

la exploración espacial • space exploration

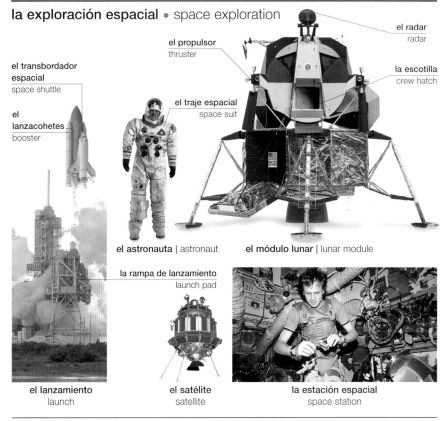

el radar
radar

el propulsor
thruster

la escotilla
crew hatch

el transbordador espacial
space shuttle

el lanzacohetes
booster

el traje espacial
space suit

el astronauta | astronaut

el módulo lunar | lunar module

la rampa de lanzamiento
launch pad

el lanzamiento
launch

el satélite
satellite

la estación espacial
space station

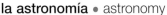

la astronomía • astronomy

la constelación
constellation

los prismáticos
binoculars

el telescopio
telescope

el trípode
tripod

la Tierra • Earth

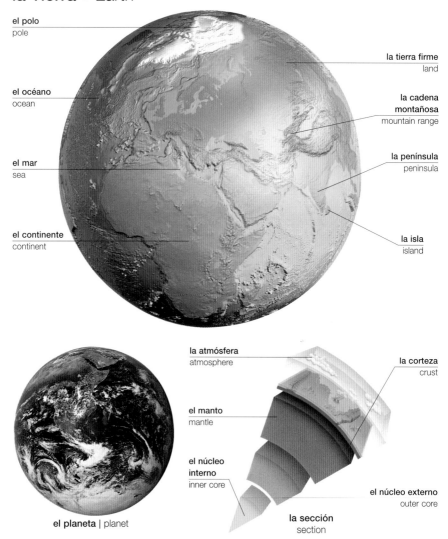

el polo
pole

el océano
ocean

el mar
sea

el continente
continent

la tierra firme
land

la cadena
montañosa
mountain range

la península
peninsula

la isla
island

la atmósfera
atmosphere

la corteza
crust

el manto
mantle

el núcleo
interno
inner core

el planeta | planet

el núcleo externo
outer core

la sección
section

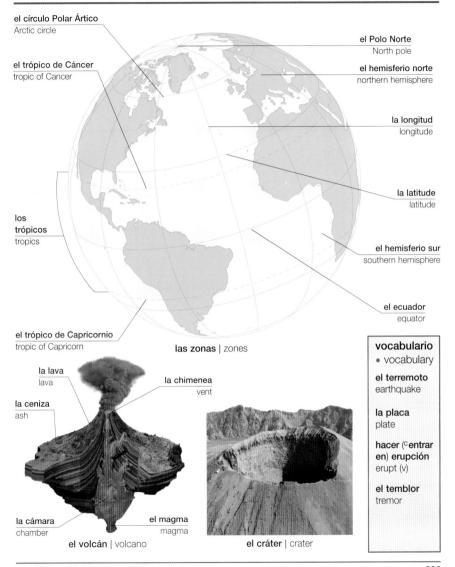

el círculo Polar Ártico
Arctic circle

el trópico de Cáncer
tropic of Cancer

los
trópicos
tropics

el trópico de Capricornio
tropic of Capricorn

el Polo Norte
North pole

el hemisferio norte
northern hemisphere

la longitud
longitude

la latitude
latitude

el hemisferio sur
southern hemisphere

el ecuador
equator

las zonas | zones

la lava
lava

la ceniza
ash

la chimenea
vent

la cámara
chamber

el magma
magma

el volcán | volcano

el cráter | crater

vocabulario
• vocabulary

el terremoto
earthquake

la placa
plate

**hacer (ᶜentrar
en) erupción**
erupt (v)

el temblor
tremor

el paisaje • landscape

la montaña
mountain

la ladera
slope

la orilla
bank

el río
river

los rápidos
rapids

las rocas
rocks

el glaciar
glacier

el valle | valley

la colina
las rocas

la meseta
plateau

el desfiladero
gorge

la cueva
cave

la llanura | plain

el desierto | desert

el bosque | forest

el bosque | wood

la selva tropical
rain forest

el pantano
swamp

el prado
meadow

la pradera
grassland

la cascada
waterfall

el arroyo
stream

el lago
lake

el géiser
geyser

la costa
coast

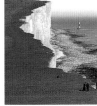

el acantilado
cliff

el arrecife de coral
coral reef

el estuario
estuary

el tiempo • weather

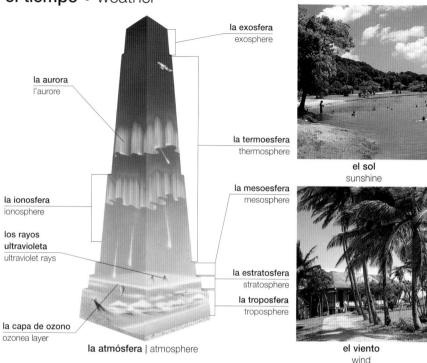

la exosfera
exosphere

la aurora
l'aurore

la termoesfera
thermosphere

la mesoesfera
mesosphere

la ionosfera
ionosphere

los rayos
ultravioleta
ultraviolet rays

la estratosfera
stratosphere

la troposfera
troposphere

la capa de ozono
ozonea layer

la atmósfera | atmosphere

el sol
sunshine

el viento
wind

vocabulario • vocabulary

el aguanieve sleet	el chubasco shower	caluroso hot	seco dry	ventoso windy	Tengo calor/frío. I'm hot/cold.
el granizo hail	soleado sunny	frío cold	lluvioso wet	el temporal gale	Está lloviendo. It's raining.
el trueno thunder	nublado cloudy	cálido warm	húmedo humid	la température temperature	Estamos a … grados. It's … degrees.

el relámpago
lightning

la nube
cloud

la lluvia
rain

la tormenta
storm

la neblina
mist

la niebla
fog

el arcoiris
rainbow

la nieve
snow

la escarcha
frost

el carámbano
icicle

el hielo
ice

la helada
freeze

el huracán
hurricane

el tornado
tornado

el monzón
monsoon

la inundación
flood

las rocas • rocks

ígneo • igneous

el granito
granite

la obsidiana
obsidian

el basalto
basalt

la piedra pómez
pumice

sedimentario • sedimentary

la piedra arenisca
sandstone

la piedra caliza
limestone

la tiza
chalk

el pedernal
flint

el conglomerado
conglomerate

el carbón
coal

metamórfico • metamorphic

la pizarra
slate

el esquisto
schist

el gneis
gneiss

el mármol
marble

las gemas • gems

el rubí
ruby

la aguamarina
aquamarine

la amatista
amethyst

el diamante
diamond

el jade
jade

el azabache
jet

la esmeralda
emerald

el ópalo
opal

el zafiro
sapphire

la adularia (°**la piedra lunar**)
moonstone

la turmalina
tourmaline

el granate
garnet

el topacio
topaz
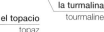

los minerales • minerals

el cuarzo
quartz

la mica
mica

el azufre
sulfur

la hematita
(ᶜ**el hematites**)
hematite

la calcita
calcite

la malaquita
malachite

la turquesa
turquoise

el ónix (ᶜ**el ónice**)
onyx

el ágata
agate

el grafito
graphite

los metales • metals

el oro
gold

la plata
silver

el platino
platinum

el níquel
nickel

el hierro
iron

el cobre
copper

el estaño
tin

el aluminio
aluminum

el mercurio
mercury

el zinc
zinc

los animales 1 • animals 1
los mamíferos • mammals

el conejo
rabbit

el hámster
hamster

los bigotes
whiskers

la cola
tail

el ratón
mouse

la rata
rat

el erizo
hedgehog

la ardilla
squirrel

el murciélago
bat

el mapache
raccoon

el zorro
fox

el lobo
wolf

el cachorro
puppy

el gatito
kitten

la cría
pup

el perro
dog

el gato
cat

la nutria
otter

la foca
seal

la aleta
flipper

el orificio nasal
blowhole

el león marino
sea lion

la morsa
walrus

la ballena
whale

el delfín
dolphin

el asta
antler

la crin
mane

la joroba
(C la giba)
hump

el ciervo
deer

la cebra
zebra

la pezuña
hoof

la jirafa
giraffe

el camello
camel

la trompa
trunk

el colmillo
tusk

el cuerno
horn

el hipopótamo
hippopotamus

el elefante
elephant

el rinoceronte
rhinoceros

el tigre
tiger

la melena
mane

el león
lion

el chango (C el mono)
monkey

el gorila
gorilla

el koala
koala

la bolsa
pouch

el oso panda
panda

la zarpa
claw

el canguro
kangaroo

el oso
bear

el oso polar
polar bear

español • english

291

los animales 2 • animals 2
las aves • birds

la cola
tail

el canario
canary

el gorrión
sparrow

el colibrí
hummingbird

la golondrina
swallow

el cuervo
crow

la paloma
pigeon

el pájaro carpintero
woodpecker

el halcón
falcon

el búho
owl

la gaviota
gull

el águila
eagle

el pelícano
pelican

el flamenco
flamingo

la cigüeña
stork

la grulla
crane

el pingüino
penguin

el avestruz
ostrich

los reptiles • reptiles

la oca | goose

el cisne
swan

el pavo real
peacock

el faisán
pheasant

el guajolote (ᶜel pavo)
turkey

el pico
beak

la pluma
feather

el ala
wing

la cacatúa
cockatoo

la garra
claw

el loro
parrot

las escamas
scales

el caimán
alligator

el lagarto
lizard

la iguana
iguana

el caparazón
shell

el galápago
turtle

la tortuga
tortoise

la serpiente
snake

el hocico
snout

el cocodrilo
crocodile

los animales 3 • animals 3
los anfibios • amphibians

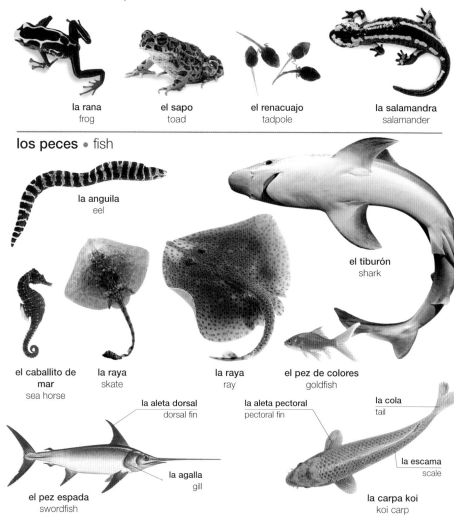

la rana
frog

el sapo
toad

el renacuajo
tadpole

la salamandra
salamander

los peces • fish

la anguila
eel

el tiburón
shark

el caballito de mar
sea horse

la raya
skate

la raya
ray

el pez de colores
goldfish

la aleta dorsal
dorsal fin

la aleta pectoral
pectoral fin

la cola
tail

la agalla
gill

la escama
scale

el pez espada
swordfish

la carpa koi
koi carp

los invertebrados • invertebrates

la hormiga
ant

la termita
termite

la abeja
bee

la avispa
wasp

el escarabajo
beetle

la cucaracha
cockroach

la polilla
moth

la antena
antenna

la mariposa
butterfly

el capullo
cocoon

la oruga
caterpillar

el grillo
cricket

el saltamontes
grasshopper

la mantis religiosa
praying mantis

el aquijón
sting

el alacrán
(ᶜ**el escorpión**)
scorpion

el ciempiés
centipede

la libélula
dragonfly

la mosca
fly

el mosquito
mosquito

la catarina
(ᶜ**la mariquita**)
ladybug

la araña
spider

la babosa
slug

el caracol
snail

el gusano
worm

la estrella de mar
starfish

el mejillón
mussel

el cangrejo
crab

la langosta
lobster

el pulpo
octopus

el calamar
squid

la medusa
jellyfish

las plantas • plants

el árbol • tree

la hoja
leaf

la rama
branch

la ramita
twig

la corteza
bark

el sauce
willow

la raíz
root

el tronco
trunk

el roble
oak

el álamo
poplar

el eucalipto
eucalyptus

el alerce
larch

la haya
beech

el abedul
birch

el pino
pine

el cedro
cedar

el arce
maple

el olmo
elm

el tilo
lime

la baya
berry

el acebo
holly

la palmera
palm

la planta de flor • flowering plant

la flor
flower

el estambre
stamen

el pétalo
petal

el cáliz
calyx

el tallo
stalk

el tallo
stem

el capullo
bud

el ranúnculo
buttercup

la margarita
daisy

el cardo
thistle

el diente de león
dandelion

el brezo
heather

la amapola
poppy

la dedalera
foxglove

la madreselva
honeysuckle

el girasol
sunflower

el trébol
clover

**los narcisos
silvestres**
bluebells

la prímula
primrose

el lupino
lupins

la ortiga
nettle

la ciudad • town

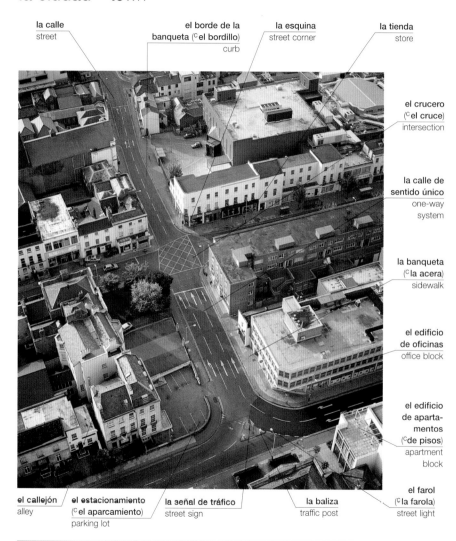

la calle
street

el borde de la
banqueta (ᶜel bordillo)
curb

la esquina
street corner

la tienda
store

el crucero
(ᶜel cruce)
intersection

la calle de
sentido único
one-way
system

la banqueta
(ᶜla acera)
sidewalk

el edificio
de oficinas
office block

el edificio
de aparta-
mentos
(ᶜde pisos)
apartment
block

el farol
(ᶜla farola)
street light

el callejón
alley

el estacionamiento
(ᶜel aparcamiento)
parking lot

la señal de tráfico
street sign

la baliza
traffic post

los edificios • buildings

el palacio municipal
town hall

la biblioteca
library

el cine
movie theater

el teatro
theater

la universidad
university

el rascacielos
skyscraper

las zonas • areas

la zona industrial
industrial park

la ciudad
city

la escuela
school

el suburbio
(ᶜ**la periferia**)
suburb

el pueblo
village

---

vocabulario • vocabulary

la zona peatonal pedestrian zone	**la calle lateral** side street	**la parada de autobús** bus stop	**la alcantarilla** gutter	**la iglesia** church
la avenida avenue	**la plaza** square	**la coladera** (ᶜ**la boca de alcantarilla**) manhole	**la fábrica** factory	**el drenaje** (ᶜ**el sumidero**) drain

la arquitectura • architecture

los edificios y las estructuras • buildings and structures

el florón
finial

el torreón
turret

la aguja
spire

el foso
moat

el rascacielos
skyscraper

el castillo
castle

el frontón
gable

la cúpula
dome

la torre
tower

la iglesia
church

la mezquita
mosque

la bóveda
vault

la cornisa
cornice

el templo
temple

la sinagoga
synagogue

la columna
pillar

el embalse
dam

el puente
bridge

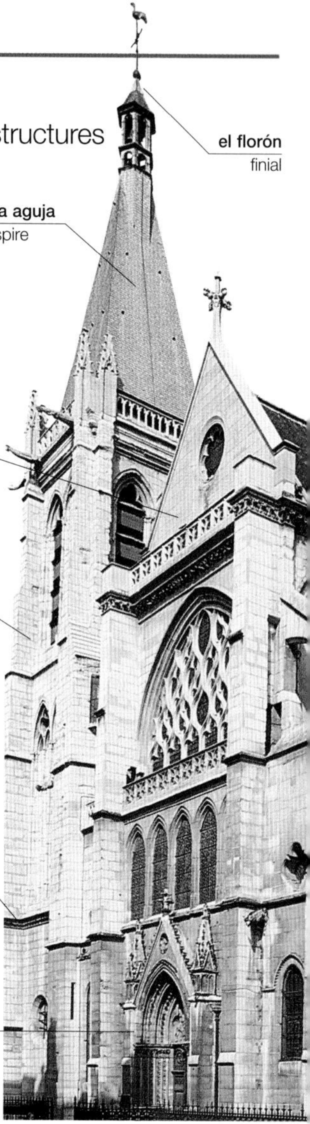

la catedral | cathedral

los estilos • styles

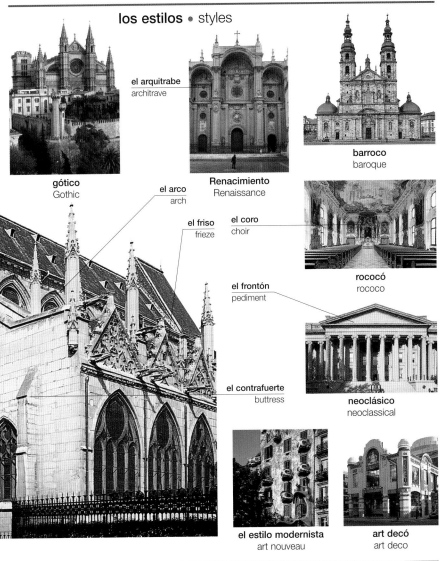

el arquitrabe
architrave

barroco
baroque

gótico
Gothic

Renacimiento
Renaissance

el arco
arch

el friso
frieze

el coro
choir

rococó
rococo

el frontón
pediment

el contrafuerte
buttress

neoclásico
neoclassical

el estilo modernista
art nouveau

art decó
art deco

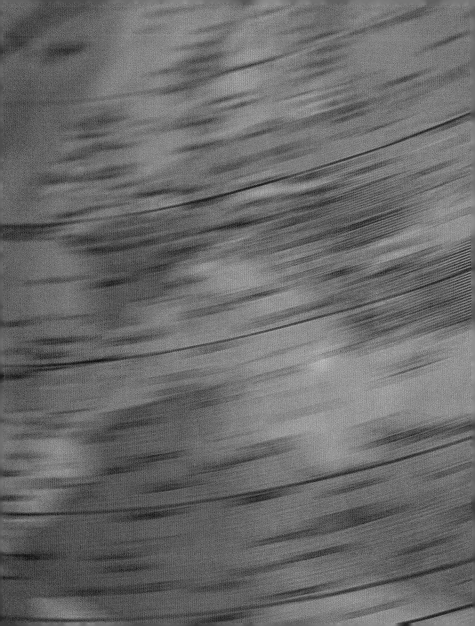

los datos
reference

el tiempo • time

el minutero
minute hand

la manecilla (ᶜla aguja) de la hora
hour hand

el reloj
clock

vocabulario • vocabulary

el segundo second	**ahora** now	**un cuarto de hora** a quarter of an hour
el minuto minute	**más tarde** later	**veinte minutos** twenty minutes
la hora hour	**media hora** half an hour	**cuarenta minutos** forty minutes

¿Qué hora es? What time is it?	**Son las tres en punto.** It's three o'clock.

la una y cinco
five after one

la una y diez
ten after one

la una y cuarto
quarter after one

la una y veinte
twenty after one

el segundero
second hand

la una y veinticinco
twenty-five after one

la una y media
one-thirty

las veinticinco para las dos (ᶜlas dos menos veinticinco)
twenty-five to two

las veinte para las dos (ᶜlas dos menos veinte)
twenty to two

el cuarto para las dos (ᶜlas dos menos cuarto)
quarter to two

las diez para las dos (ᶜlas dos menos diez)
ten to two

las cinco para las dos (ᶜlas dos menos cinco)
five to two

las dos en punto
two o'clock

la noche y el día • night and day

la medianoche
midnight

el amanecer
sunrise

el alba
dawn

la mañana
morning

el atardecer
(ᶜla puesta de sol)
sunset

el mediodía
noon

el anochecer
dusk

la noche
evening

la tarde
afternoon

vocabulario • vocabulary

temprano early	**Llegas temprano.** You're early.	**Por favor, sé puntual.** Please be on time.	**¿A qué hora termina?** What time does it end?
puntual on time	**Llegas tarde.** You're late.	**Hasta luego.** I'll see you later.	**¿Cuánto dura?** How long will it last?
tarde late	**Llegaré dentro de poco.** I'll be there soon.	**¿A qué hora comienza?** What time does it start?	**Se está haciendo tarde.** It's getting late.

el calendario (^Cel almanaque) • calendar

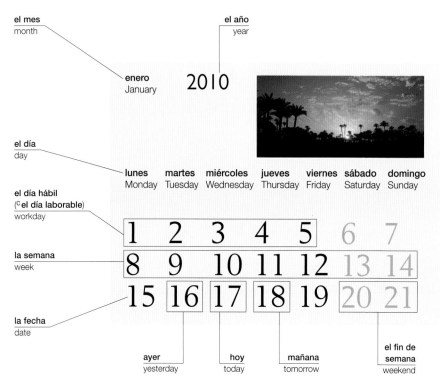

el mes
month

el año
year

enero
January

2010

el día
day

el día hábil
(^Cel día laborable)
workday

la semana
week

la fecha
date

lunes	martes	miércoles	jueves	viernes	sábado	domingo
Monday	Tuesday	Wednesday	Thursday	Friday	Saturday	Sunday
1	2	3	4	5	6	7
8	9	10	11	12	13	14
15	16	17	18	19	20	21

ayer
yesterday

hoy
today

mañana
tomorrow

el fin de
semana
weekend

---

vocabulario • vocabulary

enero	marzo	mayo	julio	septiembre	noviembre
January	March	May	July	September	November
febrero	**abril**	**junio**	**agosto**	**octubre**	**diciembre**
February	April	June	August	October	December

---

los años • years

1900   **mil novecientos** • nineteen hundred

1901   **mil novecientos uno** • nineteen hundred and one

1910   **mil novecientos diez** • nineteen ten

2000   **dos mil** • two thousand

2001   **dos mil uno** • two thousand and one

las estaciones • seasons

la primavera
spring

el verano
summer

el otoño
fall

el invierno
winter

vocabulario • vocabulary

el siglo
century

la década
decade

el milenio
millennium

quince días
two weeks

esta semana
this week

la semana pasada
last week

la semana que viene
next week

anteayer (ᶜantes de ayer)
the day before yesterday

pasado mañana
the day after tomorrow

semanalmente
weekly

mensual
monthly

anual
annual

¿Qué día es hoy?
What's the date today?

Es el siete de febrero del dos mil dos.
It's February seventh, two thousand and two.

los números • numbers

0	cero • zero	20	veinte • twenty
1	uno • one	21	veintiuno • twenty-one
2	dos • two	22	veintidós • twenty-two
3	tres • three	30	treinta • thirty
4	cuatro • four	40	cuarenta • forty
5	cinco • five	50	cincuenta • fifty
6	seis • six	60	sesenta • sixty
7	siete • seven	70	setenta • seventy
8	ocho • eight	80	ochenta • eighty
9	nueve • nine	90	noventa • ninety
10	diez • ten	100	cien • one hundred
11	once • eleven	110	ciento diez • one hundred and ten
12	doce • twelve	200	doscientos • two hundred
13	trece • thirteen	300	trescientos • three hundred
14	catorce • fourteen	400	cuatrocientos • four hundred
15	quince • fifteen	500	quinientos • five hundred
16	dieciséis • sixteen	600	seiscientos • six hundred
17	diecisiete • seventeen	700	setecientos • seven hundred
18	dieciocho • eighteen	800	ochocientos • eight hundred
19	diecinueve • nineteen	900	novecientos • nine hundred

1,000 **mil** • one thousand

10,000 **diez mil** • ten thousand

20,000 **veinte mil** • twenty thousand

50,000 **cincuenta mil** • fifty thousand

55,500 **cincuenta y cinco mil quinientos** • fifty-five thousand five hundred

100,000 **cien mil** • one hundred thousand

1,000,000 **un millón** • one million

1,000,000,000 **mil millones** • one billion

primero first **segundo** second **tercero** third

cuarto • fourth

quinto • fifth

sexto • sixth

séptimo • seventh

octavo • eighth

noveno • ninth

décimo • tenth

undécimo • eleventh

duodécimo • twelfth

decimotercero • thirteenth

decimocuarto • fourteenth

decimoquinto • fifteenth

decimosexto • sixteenth

decimoséptimo • seventeenth

décimo octavo • eighteenth

décimo noveno • nineteenth

vigésimo • twentieth

vigésimo primero • twenty-first

vigésimo segundo • twenty-second

vigésimo tercero • twenty-third

trigésimo • thirtieth

cuadragésimo • fortieth

quincuagésimo • fiftieth

sexagésimo • sixtieth

septuagésimo • seventieth

octogésimo • eightieth

nonagésimo • ninetieth

centésimo • one hundredth

los pesos y las medidas • weights and measures

el área • area

el pie cuadrado	el metro cuadrado
square foot	square meter

la distancia • distance

el kilómetro	la milla
kilometre	mile

la báscula (ᶜla balanza) | scale

la bandeja
pan

la libra
pound

la onza
ounce

el kilogramo
kilogram

el gramo
gram

vocabulario • vocabulary

la yarda	la tonelada	medir
yard	tonne	measure (v)
la metro	el miligramo	pesar
metre	milligram	weigh (v)

la longitud • length

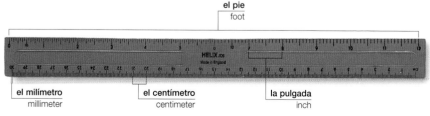

el pie
foot

el milímetro	el centímetro	la pulgada
millimeter	centimeter	inch

la capacidad • capacity

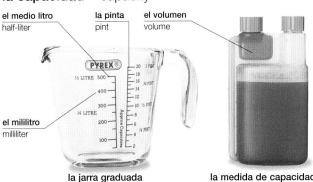

el medio litro
half-liter

la pinta
pint

el volumen
volume

el mililitro
milliliter

la jarra graduada
measuring cup

la medida de capacidad
liquid measure

el recipiente • container

el tetrabrik
carton

el paquete
bag

la botella
bottle

la bolsa
sack

la tarrina | tub

el tarro | jar

la lata
can

la lata | tin

el pulverizador
spray bottle

la pastilla
bar

el tubo
tube

el rollo
roll

la cajetilla (ᶜel paquete)
pack

el spray
spray can

---

el mapamundi • world map

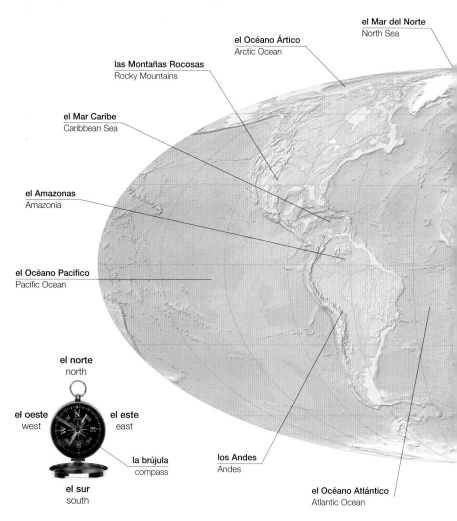

el Mar del Norte
North Sea

el Océano Ártico
Arctic Ocean

las Montañas Rocosas
Rocky Mountains

el Mar Caribe
Caribbean Sea

el Amazonas
Amazonia

el Océano Pacífico
Pacific Ocean

el norte
north

el oeste
west

el este
east

la brújula
compass

los Andes
Andes

el sur
south

el Océano Atlántico
Atlantic Ocean

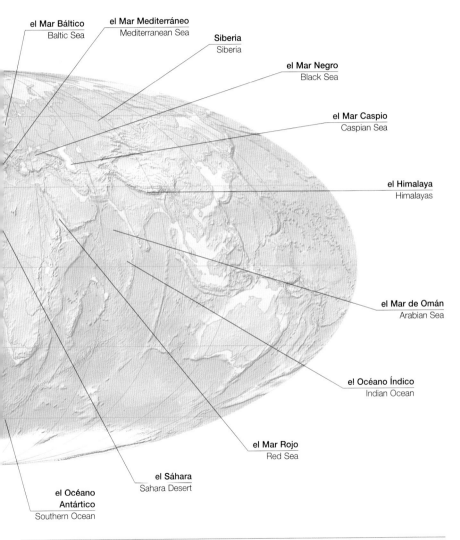

el Mar Báltico
Baltic Sea

el Mar Mediterráneo
Mediterranean Sea

Siberia
Siberia

el Mar Negro
Black Sea

el Mar Caspio
Caspian Sea

el Himalaya
Himalayas

el Mar de Omán
Arabian Sea

el Océano Índico
Indian Ocean

el Mar Rojo
Red Sea

el Sáhara
Sahara Desert

el Océano Antártico
Southern Ocean

América del Norte y Central • North and Central America

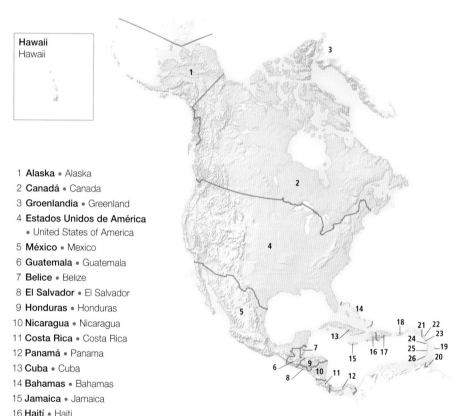

Hawaii
Hawaii

1 **Alaska** • Alaska
2 **Canadá** • Canada
3 **Groenlandia** • Greenland
4 **Estados Unidos de América**
 • United States of America
5 **México** • Mexico
6 **Guatemala** • Guatemala
7 **Belice** • Belize
8 **El Salvador** • El Salvador
9 **Honduras** • Honduras
10 **Nicaragua** • Nicaragua
11 **Costa Rica** • Costa Rica
12 **Panamá** • Panama
13 **Cuba** • Cuba
14 **Bahamas** • Bahamas
15 **Jamaica** • Jamaica
16 **Haití** • Haiti
17 **República Dominicana**
 • Dominican Republic
18 **Puerto Rico** • Puerto Rico
19 **Barbados** • Barbados
20 **Trinidad y Tobago** • Trinidad and Tobago
21 **Saint Kitts y Nevis** • St. Kitts and Nevis

22 **Antigua y Barbuda** • Antigua and Barbuda
23 **Dominica** • Dominica
24 **Santa Lucía** • St. Lucia
25 **San Vicente y las Granadinas**
 • St. Vincent and the Grenadines
26 **Granada** • Grenada

314

América del Sur • South America

1 **Venezuela** • Venezuela

2 **Colombia** • Colombia

3 **Ecuador** • Ecuador

4 **Perú** • Peru

5 **las Islas Galápagos**
 • Galápagos Islands

6 **Guyana** • Guyana

7 **Suriname** • Suriname

8 **la Guayana Francesa**
 • French Guiana

9 **Brasil** • Brazil

10 **Bolivia** • Bolivia

11 **Chile** • Chile

12 **Argentina** • Argentina

13 **Paraguay** • Paraguay

14 **Uruguay** • Uruguay

15 **las Malvinas**
 • Falkland Islands

vocabulario • vocabulary

el **continente**	el **principado**	la **provincia**
continent	principality	province
el **país**	el **territorio**	el **distrito**
country	territory	district
la **nación**	la **colonia**	la **región**
nation	colony	region
el **estado**	la **zona**	la **capital**
state	zone	capital

Europa • Europe

1 **Irlanda** • Ireland

2 **Reino Unido** • United Kingdom

3 **Portugal** • Portugal

4 **España** • Spain

5 **las Islas Baleares**
  • Balearic Islands

6 **Andorra** • Andorra

7 **Francia** • France

8 **Bélgica** • Belgium

9 **los Países Bajos**
  • Netherlands

10 **Luxemburgo** • Luxembourg

11 **Alemania** • Germany

12 **Dinamarca** • Denmark

13 **Noruega** • Norway

14 **Suecia** • Sweden

15 **Finlandia** • Finland

16 **Estonia** • Estonia

17 **Letonia** • Latvia

18 **Lituania** • Lithuania

19 **Kaliningrado**
  • Kaliningrad

20 **Polonia** • Poland

21 **República Checa**
  • Czech Republic

22 **Austria** • Austria

23 **Liechtenstein**
  • Liechtenstein

24 **Suiza**
  • Switzerland

25 **Italia** • Italy

26 **Mónaco**
  • Monaco

27 **Córcega**
  • Corsica

28 **Cerdeña**
  • Sardinia

29 **San Marino** • San Marino

30 **la Ciudad del Vaticano**
  • Vatican City

31 **Sicilia** • Sicily

32 **Malta** • Malta

33 **Eslovenia** • Slovenia

34 **Croacia** • Croatia

35 **Hungría** • Hungary

36 **Eslovaquia** • Slovakia

37 **Ucrania** • Ukraine

38 **Belarús** • Belarus

39 **Moldavia** • Moldova

40 **Rumanía** • Romania

41 **Serbia** • Serbia

42 **Bosnia y Herzegovina**
  • Bosnia and Herzogovina

43 **Albania** • Albania

44 **Macedonia** • Macedonia

45 **Bulgaria** • Bulgaria

46 **Grecia** • Greece

47 **Kosovo** • Kosovo (disputed)

48 **Montenegro** • Montenegro

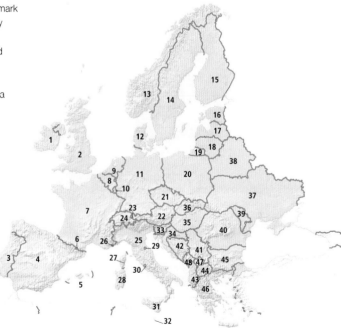

África • Africa

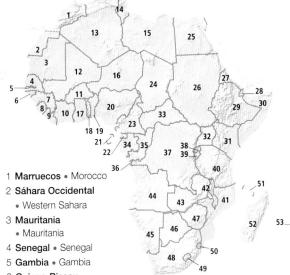

1 **Marruecos** • Morocco

2 **Sáhara Occidental**
   • Western Sahara

3 **Mauritania**
   • Mauritania

4 **Senegal** • Senegal

5 **Gambia** • Gambia

6 **Guinea-Bissau**
   • Guinea-Bissau

7 **Guinea** • Guinea

8 **Sierra Leona**
   • Sierra Leone

9 **Liberia** • Liberia

10 **Costa de Marfil**
   • Ivory Coast

11 **Burquina Faso**
   • Burkina Faso

12 **Malí** • Mali

13 **Argelia** • Algeria

14 **Túnez** • Tunisia

15 **Libia** • Libya

16 **Níger** • Niger

17 **Ghana** • Ghana

18 **Togo** • Togo

19 **Benin** • Benin

20 **Nigeria** • Nigeria

21 **Santo Tomé y Príncipe**
   • São Tomé and Principe

22 **Guinea Ecuatorial**
   • Equatorial Guinea

23 **Camerún** • Cameroon

24 **Chad** • Chad

25 **Egipto** • Egypt

26 **Sudán** • Sudan

27 **Eritrea** • Eritrea

28 **Djibouti** • Djibouti

29 **Etiopía** • Ethiopia

30 **Somalia** • Somalia

31 **Kenya** • Kenya

32 **Uganda** • Uganda

33 **República Centroafricana**
   • Central African Republic

34 **Gabón** • Gabon

35 **Congo** • Congo

36 **Cabinda (Angola)**
   • Cabinda (Angola)

37 **República Democrática del Congo** • Democratic Republic of the Congo

38 **Rwanda** • Rwanda

39 **Burundi** • Burundi

40 **Tanzania** • Tanzania

41 **Mozambique** • Mozambique

42 **Malawi** • Malawi

43 **Zambia** • Zambia

44 **Angola** • Angola

45 **Namibia** • Namibia

46 **Botswana** • Botswana

47 **Zimbabwe** • Zimbabwe

48 **Sudáfrica** • South Africa

49 **Lesotho** • Lesotho

50 **Swazilandia** • Swaziland

51 **Comoros** • Comoros

52 **Madagascar** • Madagascar

53 **Mauricio** • Mauritius

Asia • Asia

1 **Turquía** • Turkey
2 **Chipre** • Cyprus
3 **Federación Rusa**
  • Russian Federation
4 **Georgia** • Georgia
5 **Armenia** • Armenia
6 **Azerbaiyán** • Azerbaijan
7 **Irán** • Iran
8 **Iraq** • Iraq
9 **Siria** • Syria
10 **Líbano** • Lebanon
11 **Israel** • Israel
12 **Jordania** • Jordan
13 **Arabia Saudita**
  • Saudi Arabia
14 **Kuwait** • Kuwait
15 **Bahrein** • Bahrain
16 **Qatar** • Qatar
17 **Emiratos Árabes Unidos**
  • United Arab Emirates
18 **Omán** • Oman
19 **Yemen** • Yemen
20 **Kazajstán** • Kazakhstan
21 **Uzbekistán** • Uzbekistan
22 **Turkmenistán** • Turkmenistan
23 **Afganistán** • Afghanistan
24 **Tayikistán** • Tajikistan
25 **Kirguistán** • Kyrgyzstan
26 **Pakistán** • Pakistan
27 **India** • India
28 **Maldivas** • Maldives
29 **Sri Lanka** • Sri Lanka
30 **China** • China
31 **Mongolia** • Mongolia
32 **Corea del Norte** • North Korea
33 **Corea del Sur** • South Korea
34 **Japón** • Japan

35 **Nepal** • Nepal
36 **Bhutan** • Bhutan
37 **Bangladesh** • Bangladesh
38 **Birmania (Myanmar)**
  • Burma (Myanmar)
39 **Tailandia** • Thailand
40 **Laos** • Laos
41 **Viet Nam** • Vietnam
42 **Camboya** • Cambodia

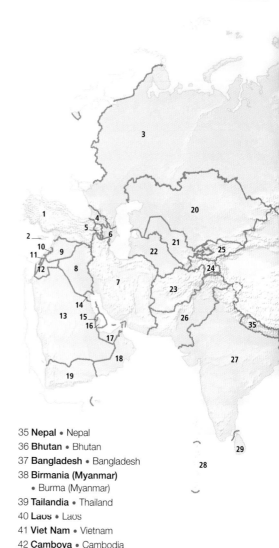

Australasia • Australasia

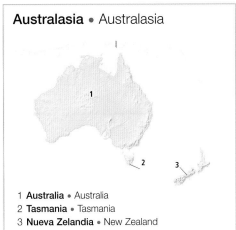

1 **Australia** • Australia
2 **Tasmania** • Tasmania
3 **Nueva Zelandia** • New Zealand

43 **Malasia** • Malaysia
44 **Singapur** • Singapore
45 **Indonesia** • Indonesia
46 **Brunei** • Brunei
47 **Filipinas** • Philippines
48 **Timor Oriental** • East Timor
49 **Papua Nueva Guinea** • Papua New Guinea
50 **Islas Salomón** • Solomon Islands
51 **Vanuatu** • Vanuatu
52 **Fiji** • Fiji

partículas y antónimos • particles and antonyms

a, hacia to	**de, desde** from	**para** for	**hacia** toward
encima de over	**debajo de** under	**por** along	**al otro lado de** across
delante de in front of	**detrás de** behind	**con** with	**sin** without
sobre onto	**dentro de** into	**antes** before	**después** after
en in	**fuera** out	**antes de** by	**hasta** until
sobre above	**bajo** below	**temprano** early	**tarde** late
dentro inside	**fuera** outside	**ahora** now	**más tarde** later
arriba up	**abajo** down	**siempre** always	**nunca** never
en at	**más allá de** beyond	**con frecuencia** (C **a menudo**) | often	**rara vez** rarely
a través de through	**alrededor de** around	**ayer** yesterday	**mañana** tomorrow
encima de on top of	**al lado de** beside	**primer** first	**último** last
entre between	**en frente de** opposite	**cada** every	**algunos** some
cerca near	**lejos** far	**unos** about	**exactamente** exactly
aquí here	**allí** there	**un poco** a little	**mucho** a lot

grande large	**pequeño** small	**caliente** hot	**frío** cold
ancho wide	**estrecho** narrow	**abierto** open	**cerrado** closed
alto tall	**bajo** short	**lleno** full	**vacío** empty
alto high	**bajo** low	**nuevo** new	**viejo** old
grueso thick	**delgado** thin	**claro** light	**oscuro** dark
ligero light	**pesado** heavy	**fácil** easy	**difícil** difficult
duro hard	**blando** soft	**libre** free	**ocupado** occupied
húmedo wet	**seco** dry	**fuerte** strong	**débil** weak
bueno good	**malo** bad	**gordo** fat	**delgado** thin
rápido fast	**lento** slow	**joven** young	**viejo** old
correcto correct	**incorrecto** wrong	**mejor** better	**peor** worse
limpio clean	**sucio** dirty	**negro** black	**blanco** white
hermoso (C **bonito**) beautiful	**feo** ugly	**interesante** interesting	**aburrido** boring
caro expensive	**barato** cheap	**enfermo** sick	**bien** well
silencioso quiet	**ruidoso** noisy	**el principio** beginning	**el final** end

frases útiles • useful phrases

frases esenciales
• essential phrases

Sí
Yes

No
No

Quizás
Maybe

Por favor
Please

Gracias
Thank you

De nada
You're welcome

Perdone
Excuse me

Lo siento
I'm sorry

No
Don't

Vale
OK

Así vale
That's fine

Está bien
That's correct

Está mal
That's wrong

saludos • greetings

Hola
Hello

Adiós
Goodbye

Buenos días
Good morning

Buenas tardes
Good afternoon

Buenas tardes
Good evening

Buenas noches
Good night

¿Cómo está?
How are you?

Me llamo...
My name is...

¿Cómo se llama?
What is your name?

¿Cómo se llama?
What is his/her name?

Le presento a...
May I introduce...

Este es...
This is...

Encantado de conocerle
Pleased to meet you

Hasta luego
See you later

letreros • signs

Información
Tourist information

Entrada
Entrance

Salida
Exit

Salida de emergencia
Emergency exit

Empuje
Push

Peligro
Danger

Prohibido fumar
No smoking

Fuera de servicio
Out of order

Horario de apertura
Opening times

Entrada libre
Free admission

Llame antes de entrar
Knock before entering

Rebajado
Reduced

Saldos
Sale

Prohibido pisar el césped
Keep off the grass

ayuda • help

¿Me puede ayudar?
Can you help me?

No entiendo
I don't understand

No lo sé
I don't know

¿Habla inglés, francés...?
Do you speak English, French...?

Hablo inglés, español...
I speak English, Spanish...

Hable más lento (C despacio), por favor
Please speak more slowly

¿Me lo puede escribir?
Please write it down for me

He perdido...
I have lost...

indicaciones • directions

Me perdí (^C**Me he perdido**) | I am lost

¿Dónde está el/la…?
Where is the…?

¿Dónde está el/la… más cercano/a?
Where is the nearest…?

¿Dónde están los servicios?
Where are the restrooms?

¿Cómo voy a…?
How do I get to…?

A la derecha
To the right

A la izquierda
To the left

Todo recto
Straight ahead

¿A qué distancia está…?
How far is…?

las señales de tránsito (^C**las señales de tráfico**)
• road signs

Todas las direcciones
All directions

Precaución | Caution

Prohibido el paso
No entry

Disminuir velocidad
Slow down

Desvío | Detour

Circular por la derecha
Keep right

Autopista | Freeway

Prohibido estacionar (^C**Prohibido aparcar**)
No parking

Callejón sin salida
No through road

Sentido único
One-way

Ceda el paso
Yield

Carretera cortada
Road closed

Obras
Road construction

Curva peligrosa
Dangerous curve

alojamiento
• accommodation

Tengo una reservación (^C **Tengo una reserva**)
I have a reservation

¿A qué hora es el desayuno?
What time is breakfast?

El número de mi habitación es el …
My room number is …

Volveré a las …
I'll be back at … o'clock

¿Dónde está el comedor?
Where is the dining room?

Me marcho mañana
I'm leaving tomorrow

comida y bebida
• eating and drinking

¡Salud!
Cheers!

Está buenísimo/malísimo
It's delicious/awful

Yo no bebo/fumo
I don't drink/smoke

Yo no como carne
I don't eat meat

Ya no más, gracias
No more for me, thank you

¿Puedo repetir?
May I have some more?

¿Me trae la cuenta?
Check, please.

¿Me da un recibo?
Can I have a receipt?

Zona de no fumadores
No-smoking area

la salud
• health

No me encuentro bien
I don't feel well

Tengo náuseas
I feel sick

¿Cuál es el número del médico más cercano?
What is the telephone number of the nearest doctor?

Me duele aquí
It hurts here

Tengo fiebre
I have a fever

Estoy embarrazada de … meses
I'm … months pregnant

Necesito una receta para …
I need a prescription for …

Normalmente tomo …
I normally take …

Soy alérgico a …
I'm allergic to …

¿Estará bien?
Will he/she be all right?

índice español • Spanish index

español

A

a 320; a la carta 152; a la plancha 159; a través de 320
abadejo m 120
abajo 320
abarrotes m 105, 114
abdomen m 12
abdominal m 16, 251
abedul m 296
abeja f 295
abierta f 221
abierto 260, 321
abogado m 180, 190
abonar 91; abonar en la superficie 90
abono m 91; abono compuesto m 88
aborto espontáneo m 52
abrazadera f 78
abrebotellas m 68, 150
abrelatas m 68
abrigo m 31, 32
abril 306
absuelto 181
abuela/o f/m 22; abuelos m 23
aburrido 25
acacia f 110
academia de danza f 169
acampar 266
acantilado m 285
accesorios m 36, 38
accidente m 46; accidente de carro m 203
acciones f 77, 97, 227, 229, 233
acebo m 296
acedera f 123
aceite m 142, 199; aceite aromatizado m 134; aceite de almendra m 134; aceite de avellanas f 134; aceite de cacahuete m 135; aceite de colza m 13; aceite de girasol m 134; aceite de maíz m 135; aceite de nueces m 134; aceite de oliva m 134; aceite de presión en frío m 135; aceite de semillas de uva m 134; aceite de sésamo m 134; aceite vegetal m 135
aceites m 134; aceites esenciales m 55
aceituna f 151; aceituna

negra f 143; aceituna rellena f 143; aceituna verde f 143
acelerador m 200, 204
acelga f 123; acelga china f 123
acera f 298
acero inoxidable m 79
aclarar 76
acolchado m 277
acomodador m 255
acompañamiento m 153
acondicionador m 38
acostarse 71
acotamiento m 194
acta f 174; acta de nacimiento f 26
actividades f 162, 183, 245, 263; actividades al aire libre f 262
actor m 191, 254
actores m 179
actriz f 254
acuarelas f 274
acupresión f 55
acupuntura f 55
acusación f 180
acusado m 180, 181
adelantar 195
aderezo m 158
adiós 322
adobado 143, 159
adolescente f 23
adornos para el jardín m 84
aduana f 212
aduanas del puerto f 216
adularia f 288
adulto m 23
adversario m 236
aerobic(s) m 251
aerodeslizador m 215
aeropuerto m 212
afeitado m 73
afilador m 68, 118
aftershave m 73
agalla f 294
agarradera f 166
agarre m 237
ágata f 289
agencia de viajes f 114
agencia inmobiliaria f 115
agenda f 173, 175
agente de bolsa m 97
agente de policía m 94
agente de viajes f 190
agente inmobiliario f 189
agitador m 150
aglomerado m 79
agosto 306

agresión f 94
agricultor m 189
agua m 144, 238; agua de colonia m 41; agua de la llave (del grifo) m 144; agua embotellada m 144; agua mineral m 144
aguacate m 128
aguamarina f 288
aguanieve f 286
aguarrás m 83
águila f 292
aguja f 109, 276, 300; aguja de ganchillo f 277; aguja de la hora f 304; aguja de tejer f 277
agujero negro m 280
agujeta f 37
ahogarse 47, 239
ahora 304
ahorros m 96
ahumado 118, 121, 143, 159
aikido m 236
airbag m 201
aire acondicionado m 200
airear 91
aislamiento m 61
ajedrez m 272
ajo m 125, 132
al horno 159
al lado de 320
al otro lado de 320
al vapor 159
ala f 210, 293; ala m 119; ala delta m 248
alacrán m 295
alambre m 79, 89, 155
álamo m 296
alargador m 78
alarma antirrobo f 58
alarma contra incendios f 95
alba m 305
albahaca f 133
albañil m 186, 188
albaricoque m 126
alberca f 238, 250; alberca de plástico f 263
albóndigas f 158
albornoz m 73
álbum de fotos m 271
alcachofa f 89, 124; alcachofa de la ducha f 72
alcantarilla f 299
alcaparras f 143
alcázar m 214
alcorza f 141

aldaba f 59
alerce m 296
alergia f 44
alero m 58
alerón m 210
aleta f 210, 239, 290; aleta dorsal f 294; aleta pectoral f 294
aletas de raya f 120
alfalfa f 184
alfil m 272
alfiler m 276; alfiler de corbata m 36
alfiletero m 276
alfombra 63
alfombrilla de baño f 72
algodón m 184, 277
alguacil m 180
alhelí m 110
alicatar 82
alicates m 80
aliciar 39
alimentar 183
alimentos m 118, 130; alimentos embotellados m 134
aliñado 159
aliño m 158
alisar 39, 79
almacén m 216
almanaque m 306
almeja f 121
almendra f 122, 129
almendras f 151
almohada f 70
alquilar 58
alquiler m 58; alquiler de coches m 213
alrededor de 320
altavoz m 176, 209, 258, 268
alternador m 203
altitud f 211
alto 321
altura f 165
alubia f 131; alubia blanca f 131; alubia de ojo negro f 131; alubia flageolet f 131; alubia morada f 131; alubia mung f 131; alubia pinta f 131; alubia roja f 131
alubias f 131
aluminio m 289
alumno m 162
amamantar 53
amanecer m
amapola f 297
amargo 124, 127
amarillo 274
amarrar 217
amasar 138

amasar con el rodillo 67
amatista f 288
ambulancero m 94
ambulancia f 94
americana f 33; americana sport m 33
amigo m 24; amigo por correspondencia m 24
amniocentesis f 52
amperio m 60
ampliación f 58, 271
ampliar 172
amplificador m 268
ampolla f 46
anacardo m 129, 151
analgésico m 109
analgésicos m 47
análisis m 49; análisis de sangre m 48
ancho 321
anchura f 165
ancla f 214, 240
anclar 217
andamio m 186
andar en bicicleta 207
andar en patineta 249
andén m 208
anestesista m 48
anfibios m 294
anfiteatro m 169
anfitrión/-a m/f 64
anguila f 294
ángulo m 164
anillas f 89, 235
anillo m 36
animadora 220
animales m 290, 292, 294
anís estrellado m 133
aniversario m 26
anochecer m 305
anteayer 307
antebrazo m 12
antecedentes m 181
antena f 295; antena de radio f 214; antena parabólica f 269
antes 320; antes de 320; antes de ayer 307
antiadherente 69
antiarrugas 41
anticoncepción f 21, 52
anticongelante m 199, 203
antiinflamatorio m 109
anual 86, 307
anular m 15
anuncio m 269
anzuelo m 244
año m 163, 306; Año Nuevo m 27

español

español

batidor de varillas *m* 68
batir 67; batir un récord
  234
batuta *f* 256
bautizo *m* 26
baya *m* 296
bazo *m* 18
bebé *m* 23, 30
bebida malteada *f* 144
bebidas *f* 144, 107, 156;
  bebidas alcohólicas *f*
  145; bebidas
  calientes *f* 144
beca *f* 169
béisbol *m* 228
belleza *f* 40
bemol 256
bengala *f* 240
berberecho *m* 121
berenjena *f* 125
berro *m* 123
berza *f* 123
besugo *m* 120
betabel *m* 125
biatlón *m* 247
biberón *m* 75
biblioteca *f* 168, 299
bibliotecaria/o *f/m* 168,
  190
bíceps *m* 16
bicicleta *f* 206, 250;
  bicicleta de carretera
  f 206; bicicleta de
  montaña *f* 206;
  bicicleta de paseo *f*
  206; bicicleta de pista
  f 206
bidé *m* 72
bienal 00
bifocal 51
bigotes *m* 290
bikini *m* 264
billar *m* 249; billar
  americano *m* 249
billete *m* 97, 209, 213;
  billete de autobús *m*
  197
billetes de lotería *m*
  112
biología *f* 162
biológico 9, 118, 122
biombo *m* 63
biplano *m* 211
birlos *m* 203
bis *m* 255
biscote *m* 139
bisturí *m* 167
blanco 39, 145, 272,
  273, 274
blancos *m* 105
blando 129, 321
bloc de apuntes *m* 173
bloc de dibujo *m* 275
bloque de hormigón *m*
  187
bloquear 227
bloqueo *m* 237
blues *m* 259

blusa *f* 34
bobina *f* 276
bobsleigh *m* 247
boca *f* 14; boca de
  agua *f* 95; boca de
  alcantarilla *f* 299
bocadillo *m* 155
bocado *m* 242
boceto *m* 275
bocina *f* 176, 201, 258,
  268
boda *f* 26, 35
bodega *f* 215, 216
body *m* 30
bol *m* 65
bola *f* 149, 228, 230;
  bola de boliche *f* 249;
  bola de bowling *f* 249;
  bola de golf *f* 233
bolas de algodón *f* 41
boleto *m* 209, 213;
  boleto de autobús *m*
  197
boliche *m* 249
bolígrafo *m* 163
bolillo *m* 277
bollo *m* 139, 140, 155
bolo *m* 249
bolos *m* 249
bolsa *f* 106, 190, 291,
  311; bolsa de agua
  caliente *f* 70; bolsa de
  aire *f* 201; bolsa de
  correo *f* 98; bolsa de
  golf *f* 233; bolsa de
  mano *f* 37; bolsa de
  plástico *f* 122; bolsa
  de playa *f* 264; bolsa
  de valores *f* 97; bolsa
  de viaje *f* 37; bolsa
  para la hierba *f* 88
bolsas *f* 37
bolsillo *m* 32
bolsita de té *f* 144
bolso *m* 37; bolso de
  mano *m* 37
bomba *f* 199, 207;
  bomba de agua *f* 95;
  bomba del aire *f* 199
bombardero *m* 211
bombero *m* 189
bomberos *m* 95
bombilla *f* 60
bombón *m* 113
bongos *m* 257
boniato *m* 125
boquilla *f* 89
bordado *m* 277;
  bordado en
  cañamazo *m* 277
borde de la banqueta *m*
  298
borde del ocular *m* 269
bordillo *m* 298
borla *f* 40
borrén *m* 242
bosque *m* 285
bostezar 25

bota *f* 220; bota de
  esquí *f* 246; bota de
  montar *f* 242; bota de
  trekking *f* 37
botana *f* 151
botar 227
botas *f* 30; botas altas
  de goma *f* 244; botas
  de agua *f* 31; botas
  de goma *f* 89; botas
  de trekking *f* 267
botavara *f* 240
bote de basura *m* 67,
  172, 177
bote salvavida *m* 214
botella *f* 61, 135, 311;
  botella de aire *f* 239;
  botella del agua *f* 206
botiquín *m* 47, 72
botón *m* 30, 32; botón
  de ajuste *m* 167;
  botón de parada *m*
  197; botón para
  grabar *m* 269; botón
  para rebobinar *m* 269
botones *m* 100
boutique *f* 115
bóveda *f* 300
boxeo *m* 236
boxers *m* 33
boya *f* 217
bragas *f* 35
braguitas de plástico *f*
  30
brandy *m* 145
brassiere *m* 35;
  brassiere deportivo *m*
  35; brassiere para la
  lactancia *m* 53
braza *f* 239
brazada *f* 239
brazal *m* 45
brazo *m* 13, 95, 166
brezo *m* 297
brida *f* 242
bridge *m* 273
brie *m* 142
brillo de labios *m* 40
brillo del sol *m* 286
broca *f* 78; broca de
  albañilería *f* 80; broca
  de seguridad *f* 80;
  broca para madera *f*
  80; broca para metal *f*
  80
brocas *f* 80; brocas
  para madera *f* 80
brocha *f* 40, 83; brocha
  de cocina *f* 69; brocha
  de empapelador *f* 82;
  brocha de encolar *f*
  82; brocha de
  tapicero *f* 82
broche *m* 31, 30
brocheta *f* 158
brócoli *m* 123
bronce *m* 235
bronceado *m* 41

bronceador *m* 265
brújula *f* 240, 312
buceo *m* 239
buenas noches 322
buenas tardes 322
buenísimo 64
bueno 321
buenos días 322
bufanda *f* 31
bufete *m* 180
buffet *m* 152; buffet de
  desayuno *m* 156
buggy *m* 232
búho *m* 292
bujía *f* 203
bulbo *m* 86
búnker *m* 232
buque porta-
  contenedores *m* 215
buque tanque *m* 215
buró *m* 70
burro *m* 185; burro de
  la plancha *m* 76
buscar 177
butaca *f* 254
butacas *f* 254; butacas
  generales *f* 254
buzo *m* 30
buzón *m* 58, 99
bytes *m* 176

C

caballa *f* 120
caballete *m* 174, 274
caballito de mar *m* 294
caballo *m* 185, 235,
  242, 272; caballo con
  arcos *m* 235; caballo
  de carreras *m* 243
cabecear 222
cabecera *f* 70
cabecero *m* 70
cabello *m* 14, 38
cabestrillo *m* 46
cabestro *m* 243
cabeza *f* 12, 19, 81,
  230
cabezal *m* 78
cabezales de
  destornillador *m* 80
cabezuela *f* 122
cabina *f* 95, 210;
  cabina de pilotaje *f*
  210; cabina del
  conductor *f* 208;
  cabina telefónica *f* 99
cable *m* 79, 207; cable
  de alimentación *m*
  176
cables *m* 60
cabra *f* 185
cabrestante *m* 214
cabrito *m* 185
cacahuete *m* 129
cacahuetes *m* 151
cacao *m* 156; cacao en
  polvo *m* 148
cacatúa *f* 293

cachar 227
cachorro *m* 290
cactus *m* 87
caddy *m* 233
cadena *f* 36, 59, 206;
  cadena montañosa *f*
  282
cadera *f* 12
café *m* 144, 148, 153,
  156, 184; café con
  hielo *m* 148; café con
  leche *m* 148; café de
  cafetera eléctrica *m*
  148; café molido *m*
  144; café solo *m* 148
cafetera *f* 150; cafetera
  de émbolo *f* 65
cafetería *f* 148, 262;
  cafetería con mesas
  fuera *f* 148
caída *f* 237
caimán *m* 293
caja *f* 106, 150; caja
  archivador *m* 173; caja
  de aparejos *f* 244;
  caja de cambios *f*
  202, 204; caja de
  chocolates *f* 113; caja
  de fusibles *f* 203; caja
  de herramientas *f* 80;
  caja de los fusibles *f*
  60; caja de pañuelos
  desechables 70; caja
  de velocidades *f* 204;
  caja para cortar en
  inglete *f* 81; caja
  torácica *m* 17
cajero *m* 96, 106;
  cajero automático *m*
  97
cajetilla *f* 311; cajetilla
  de cigarros *f* 112
cajón *m* 66, 70, 172;
  cajón de las verduras
  m 67; cajón de salida
  m 234, 238
cajonera *f* 172
cajuela *f* 198
calabacín *m* 124, 125
calabacita *f* 125;
  calabacita gigante *f*
  124
calabaza *f* 125;
  calabaza bellota *f* 125
calamar *m* 121, 295
calambre *m* 239
calambres *m* 44
calcetines *m* 33
calcio *m* 109
calcita *f* 289
calculadora *f* 165
caldera *f* 61
caldo *m* 158
calefacción *f* 201
calendario *m* 306
calentador *m* 60;
  calentador de
  convección *m* 60

ÍNDICE ESPAÑOL • SPANISH INDEX

control remoto *m* 269
controles *m* 201, 204, 269
convertible *m* 199
coñac *m* 145
copa *f* 152; copa de vino *m* 65
copas *f* 150
copiloto *m* 211
corazón *m* 18, 119, 122, 127, 273
corbata *f* 32
corchete *m* 30, 276
corcho *m* 134, 173
cordero *m* 118, 185
cordón umbilical *m* 52
cordonera *f* 37
córnea *f* 51
córner *m* 223
cornisa 300
corno de caza *m* 257
corno inglés *m* 257
coro *m* 301
corona *f* 50, 111
corral *m* 75, 182
correa *f* 37; correa del calzapié *f* 207; correa del disco 203; correa del ventilador 203
correo certificado *m* 98
correo electrónico *m* 98, 177
correr 228
correr en parada 251
corriente alterna *f* 60
corriente continua *m* 60
corriente eléctrica *f* 60
corsé *m* 35; corsé con liguero *m* 35
cortaalambres *m* 81
cortacésped *m* 88, 90
cortada *m* 46
cortadora *f* 88
cortar 38, 67, 79, 277; cortar el césped 90; cortar las puntas 39
cortatuberias *m* 81
cortaúñas *m* 41
corte *m* 46; corte de luz *m* 60
cortes *m* 119
corteza *f* 126, 127, 136, 139, 142, 282, 296
cortina *f* 63; cortina de ducha *f* 72; cortina de la regadera *f* 72
corto 33, 131, 151
cosecha *f* 183
cosechadora *f* 182
cosechar 91
coser 277
cosméticos *m* 105
costa *f* 285
costilla *f* 17, 119
costillas *f* 155
costura *f* 34
costurera *f* 277
costurero *m* 276

coxis *m* 17
CPU *f* 176
cráneo *m* 17
cráter *m* 283
credencial *f* 168
crema *f* 109, 137, 140, 157; crema ácida *f* 137; crema autobronceadora *f* 41; crema batida *f* 137; crema bronceadora *f* 41, 265; crema de cacahuetes *f* 135; crema de limón *f* 134; crema hidratante *f* 41; crema limpiadora *f* 41; crema líquida *f* 137; crema para después del sol *f* 108; crema para el cuerpo *f* 73; crema para la cara *f* 73; crema para las escoceduras *f* 74; crema para las rozaduras *f* 74; crema para montar *f* 137; crema pastelera 140; crema protectora *f* 108, 265; crema protectora total *f* 108
cremallera *f* 277
crepas *f* 157
crêpe *f* 155
cría *f* 290
criadero de peces *m* 183
criba *f* 89
cribar 91, 138
crimen *m* 94
criminal *m* 181
crin *f* 242
criquet *m* 225
crisantemo *m* 110
crisol *m* 166
cristal *m* 51
cristalería *f* 64
cristaloterapia *f* 55
croissant *m* 156
crol *m* 239
cronómetro *m* 166, 234
cruce *m* 298
crucero *m* 194, 298
crudo 124, 129
cuaderno *m* 163, 172
cuadra *f* 243
cuadrado *m* 164
cuadragésimo 309
cuádriceps *m* 16
cuadro *m* 62, 206, 261, 274
cuarenta 308
cuarenta iguales *m* 230
cuarenta minutos 304
cuarto 309
cuarto de estar *m* 62
cuarto de galón *m* 311
cuarto oscuro *m* 271
cuarto para cambiar a los bebés *m* 104

cuarzo *m* 289
cuatro 308
cuatrocientos 308
cuba libre *f* 151
cubeta *f* 82, 265
cubierta *f* 206, 214, 240
cubierto de chocolate 140
cubiertos *m* 64
cubito de hielo *m* 151
cúbito *m* 17
cubo *m* 77, 82, 164, 265; cubo de la basura *m* 61; cubo para reciclar *m* 61
cubrecanapé *m* 71
cucaracha *f* 295
cuchara *f* 65; cuchara de madera *f* 68; cuchara de servir *f* 68; cuchara medidora *f* 109; cuchara para helado *f* 68; cuchara sopera *f* 65
cucharilla de café *f* 65, 153
cucharón *m* 68
cuchilla *f* 66, 78
cuchillo *m* 65; cuchillo de cocina *m* 68; cuchillo de sierra *m* 68
cuello *m* 12, 32; cuello de pico *m* 33; cuello del útero *m* 20; cuello en V *m* 33; cuello redondo *m* 33; cuello uterino *m* 52
cuenco *m* 69; cuenco mezclador *m* 66
cuenta *f* 152; cuenta corriente *f* 96; cuenta de ahorros *f* 97; cuenta de correo *f* 177
cuentagotas *m* 167
cuentakilómetros *m* 201
cuentarrevoluciones *m* 201, 204
cuerda *f* 230, 248, 256, 258, 266; cuerda de plomada *f* 82; cuerda para tender la ropa *f* 76
cuerdas vocales *f* 19
cuerno *m* 291
cuero cabelludo *m* 39
cuerpo *m* 12
cuerpos geométricos *m* 164
cuervo *m* 292
cueva *f* 284
cuidado de la piel *m* 108
cuidado del bebé *m* 74
cuidado dental *m* 108
cuidar 91
culata *f* 202
culpable 181

cultivador *m* 182
cultivar 91
cultivos *m* 184
cumpleaños *m* 27
cuna *f* 74
cuñada *f* 23
cuñado *m* 23
cúpula *f* 300
curado *f* 118, 143, 159
cúrcuma *f* 132
curling *m* 247
curry *m* 158; curry en polvo *m* 132
curso *m* 163
curvo 165
cuscús *m* 130
cúter *m* 80, 82
cutícula *f* 15
cutis *m* 41

D

dado de alta 48
dados *m* 272
damas *f* 272
dar 273; dar de comer 183; dar el pecho 53; dar marcha atrás 195
dardos *m* 273
darse un baño 72
darse una ducha 72
dársena *f* 216
dátil *m* 129
de 320; de cristal 69; de cuatro puertas 200; de fácil cocción 130; de granja 118; de hoja caduca 86; de hoja perenne 86; de mucho viento 286; de nada 322; de nalgas 52; de preparación al parto 52; de sentido único 194; de temporada 129; de tres puertas 200; de vestir 34
debajo de 320
deberes *m* 163
débil 321
débito directo *m* 96
década *f* 307
décimo 309
décimo noveno 309
décimo octavo 309
decimocuarto 309
decimoquinto 309
decimoséptimo 309
decimosexto 309
decimotercero 309
declaración *f* 180
decoración *f* 82, 141
decorado *m* 254
dedal *m* 276
dedalera *f* 297
dedo corazón *m* 15
dedo del pie *m* 15
dedo gordo del pie *m* 15

dedo pequeño del pie *m* 15
defender 229
defensa *f* 181, 198, 220
defensa *m* 223; defensa personal *f* 237
dejada *f* 230
delantal *m* 30, 50, 69
delante de 320
delantero *m* 222
deletrear 162
delfín *m* 290
delgado 321
delineador *m* 40
deltoides *m* 16
denominación *m* 97
denominador *m* 165
dentadura postiza *f* 50
dentista *m* 50, *f* 189
dentro 320; dentro de 320
denuncia *f* 94
departamento *m* 59, 169; departamento de atención al cliente *m* 175; departamento de contabilidad *m* 175; departamento de equipajes *m* 104; departamento de márketing *m* 175; departamento de niños *m* 104; departamento de recursos humanos *m* 175; departamento de ventas *m* 175; departamento de zapatería *m* 104; departamento legal *m* 175
dependiente *m/f* 104
depilación a la cera *f* 41
deportes *m* 220, 236, 248; deportes acuáticos *m* 241; deportes de combate *m* 236; deportes de invierno *m* 247
deportista *m* 191
depositar 96
depósito *m* 61; depósito del aceite *m* 204; depósito del limpiaparabrisas *m* 202; depósito del líquido de frenos *m* 202; depósito del líquido refrigerante *m* 202
derecha *f* 260
derecho *m* 169, 180, 231
dermatología *f* 49
derrame cerebral *m* 44
derribo *m* 237
desagüe *m* 61
desarmador *m* 151

español • english   329

español

español

español

español

español

español

noray *m* 214
normal 39
norte *m* 312
nota *f* 163, 156; nota con saludos *f* 173
notación *f* 256
notas *f* 175, 191
noticiario *m* 178
novecientos 308
noveno 309
noventa 308
novia *f* 24
noviembre 306
novio *m* 24
nube *f* 110, 113, 287
nublado 286
nuca *f* 13
núcleo externo *m* 282
núcleo interno *m* 282
nudillo *m* 15
nueces de la India *f* 151
nuera *f* 22
nueve 308
nuevo 321
nuez *f* 19, 129; nuez de Castilla *f* 129; nuez de la India *f* 129; nuez del Brasil *f* 129; nuez moscada *f* 132
nuggets de pollo *m* 155
numerador *m* 165
número *m* 226; número de andén *m* 208; número de cuenta *m* 96; número de la habitación *m* 100; número de puerta de embarque *m* 213; número de ruta *m* 196; número de vuelo *m* 213
números *m* 308
nutria *f* 290
ñame *m* 125

O

obertura *f* 256
objetivo *m* 270
oboe *m* 257
obra *f* 186, 254
obras *f* 187, 195; obras viales *f* 187
obsidiana *f* 288
obstetra *m* 52
obturador *m* 270
oca *f* 119; oca *m* 293
océano *m* 282
ochenta 308
ocho 308
ochocientos 308
ocio *m* 254, 258, 264; ocio en el hogar *m* 268
octágono *m* 164
octavo 309
octogésimo 309
octubre 306

ocular *m* 167
ocupado 99, 321
odómetro *m* 201
oeste *m* 312
ofertas *f* 106
oficina central *f* 175
oficina de cambio *f* 97
oficina de correos *f* 98
oficina de información *f* 261
oficina del director *f* 266
oficina *f* 24, 172, 174
oftalmología *f* 49
ojal *m* 32, 37
ojo *m* 14, 51, 244, 276; ojo de buey *m* 214
ojos rojos *m* 271
ola *f* 241, 264
olla de barro *f* 69
olmo *m* 296
ombligo *m* 12
omoplato *m* 17
once 308
oncología *f* 49
onda corta *f* 179
onda larga *f* 179
onda media *f* 179
ónice *m* 289
ónix *m* 289
onza *f* 310
ópera *f* 255
operación *f* 48
operador *m* 99
óptico *m* 51, 189
optometrista *m* 189
orador *m* 174
órbita *f* 280
orden del día *m* 174
orden judicial *f* 180, 180
ordenador *m* 170, 176; ordenador portátil *m* 175, 176
ordenar 153
ordeñar 183
orégano *m* 133
oreja *f* 14
orfebrería *f* 275
orgánico 91, 118
organizador de las herramientas *m* 78
órganos reproductores *m* 20
orgulloso 25
orificio nasal *m* 290
orilla *f* 284
orinal *m* 74
ornamental 87
ornitología *f* 263
oro *m* 235, 289
orquesta *f* 254, 256
orquídea *f* 111
ortiga *f* 297
ortopedia *f* 49
oruga *f* 206
orza v 241
orzuela *f* 39
oscuro 321
oso *m* 291; oso de

peluche *m* 75; oso panda *m* 291; oso polar *m* 291
osteopatía *f* 54
ostra *f* 121
otoño *m* 31, 307
otorrinolaringología *f* 49
óvalo *m* 164
ovario *m* 20
oveja *f* 185
overol *m* 82
ovulación *f* 20, 52
óvulo *m* 20

P

paca *f* 184
pacana *f* 129
paciente *f* 45; paciente externo *m* 48
paddle *m* 231
padrastro *m* 23
padre *m* 22
padres *m* 23
pagar 153
pago *m* 96
país *m* 315
paisaje *m* 284
pajarería *f* 115
pajarita *f* 36
pájaro carpintero *m* 292
pajita *f* 144, 154
pala *f* 68, 88, 187, 231, 265; pala mecánica *f* 187; pala pequeña *f* 89
palacio municipal *m* 299
paladar *m* 19
palanca *f* 61, 150; palanca de cambios *f* 201; palanca de emergencia *f* 209; palanca de la llanta *f* 207; palanca de luces *f* 201; palanca de velocidades *f* 201, 207
palco *m* 254
paleta *f* 113, 186, 187, 274
palma de la mano *f* 15
palmera *f* 86, 296
palmitos *m* 122
palmtop *m* 175
palo *m* 224, 225, 249, 273; palo de hockey *m* 224; palo de la tienda *m* 266
paloma *f* 292
palomitas *f* 255
palos de golf *m* 233
pan *m* 138, 157; pan al bicarbonato sódico *m* 139, pan blanco *m* 139; pan con grano *m* 139; pan con semillas *m* 139; pan danés *m* 139; pan de caja *m*

138; pan de centeno *m* 138; pan de frutas *m* 139; pan de maíz *m* 139; pan de molde *m* 138; pan dulce *m* 157; pan fermentado *m* 139; pan francés *m* 157; pan integral *m* 139, 149; pan molido *m* 139; pan negro *m* 139; pan negro *m* 139; pan rallado *m* 139; pan sin levadura *m* 139; pan tostado *m* 156
panadería *f* 107, 114, 138
panadero *m* 139
panal *m* 135
páncreas *m* 18
pandereta *f* 257
pandero *m* 257
panecillo *m* 139, 143
pantalla *f* 97, 172, 176, 255, 269; pantalla informativa *f* 213
pantalón de montar *m* 242
pantalones *m* 32, 34; pantalones con peto *m* 30; pantalones cortos *m* 30, 33; pantalones de chándal *m* 33; pantalones de chándal *m* 33; pantalones vaqueros *m* 31
pantano *m* 285
pantimedias *f* 34, 35
pantiprotector *m* 108
pantorrilla *f* 13, 16
pants *m* 31, 32
pantuflas *f* 31
pañal *m* 75; pañal de felpa *m* 30; pañal desechable *m* 30
pañalera *f* 75
pañuelo *m* 36; pañuelo de papel *m* 108; pañuelo desechable *m* 108
papa *f* 124; papa nueva *f* 124
papas fritas *f* 113, 151, 154
papaya *f* 128
papel celo *m* 173
papel de apresto *m* 83
papel de lija *m* 81, 83
papel estampado en relieve *m* 83
papel maché *m* 275
papel pintado *m* 82
papel tapiz *m* 82
papelera *f* 170
papelería *f* 105, 173
paperas *f* 44

papiroflexia *f* 275
paquete *m* 99, 311; paquete de tabaco *m* 112
par *m* 233
para 320; para comer en el local 154; para llevar 154
parabrisas *m* 198, 205
paracaídas *m* 248
paracaidismo 248; paracaidismo en caída libre *m* 248
parachoques *m* 198
parada *f* 237; parada de autobús *f* 197, 299; parada de taxis *f* 213
paraguas *m* 36, 233
paragüero *m* 59
paralelas *f* 235
paralelo 165
paralelogramo *m* 164
paramédico *m* 94
parapente *m* 248
parar 223
parche *m* 207
pared *f* 58, 186
pareja *f* 24
parientes *m* 23
parmesano *m* 142
párpado *m* 51
parque *m* 75, 262; parque de atracciones *m* 262; parque de bomberos *m* 95; parque de diversiones *m* 262; parque nacional *m* 261
parquímetro *m* 195
parrilla *f* 69, 267
parte interna del pie *f* 15
partera *f* 53
parterre *m* 85, 90
partida *f* 273; partida de nacimiento *f* 26
partido *m* 230
partitura *f* 255, 256
parto *m* 52, 53; parto asistido *m* 53; parto de espaldas *m* 52
pasa *f* 129; pasa de Corinto *f* 129; pasa sultana *f* 129
pasado mañana 307
pasador *m* 38
pasajero *m* 216
pasamanos *m* 59
pasaporte *m* 213
pasar 220; pasar la bayeta 77
pasarela *f* 212, 214
Pascua judía *f* 27
pase *m* 226
paseo *m* 75, 243; paseo marítimo *m* 265
pasillo *m* 106, 168, 210, 254

español

español

ÍNDICE ESPAÑOL • SPANISH INDEX

semidesnatada 136
semilla f 122, 127, 128, 130; semilla de girasol f 131; semilla de mostaza f 131; semilla de sésamo f 131; semilla de soja f 131
semillas f 88, 131; semillas de hinojo f 133; semillas de mapola f 138
semillero m 89
sémola f 130
senderismo 263
sendero m 262; sendero para caballos m 263
seno m 19
sensible 41
sentarse en cuclillas 251
sentencia f 181
señal m 209; señal de tráfico f 298
señales de piso f 194
señales de tránsito f 195
señales horizontales f 194
Señor m 23
Señora f 23
Señorita f 23
señuelo m 244
sepia f 121
septiembre 306
séptimo 309
septuagésimo 309
serie f 179
serie televisiva f 178
serpiente f 293
serrar 79
serrucho m 80; serrucho de costilla m 81
servicio m 231; servicio al cliente m 104; servicio de habitaciones m 101; servicio de lavandería m 101; servicio de limpieza m 101; servicio incluido 152; servicio no incluido 152
servicios m 49; servicios de emergencia m 94
servidor m 176
servilleta f 65, 152; servilleta de papel f 154
servilletero m 65
servir 64
sesenta 308
set m 230
setecientos 308
setenta 308
seto m 85, 90, 182
sexagésimo 309

sexto 309
shampoo para el cuerpo m 73
shiatsu m 54
shock m 47
shock eléctrico m 46
shorts m 30, 33
sí 322
sidra f 145
sien f 14
sierra circular f 78
sierra de calar f 81
sierra de mano f 89
sierra de vaivén f 78
sierra para metales f 81
siete 308
siglo m 307
silenciador m 203, 204
silla f 64, 150, 242; silla de montar de escaramuza f 242; silla de montar f 242; silla de ruedas f 48; silla giratoria f 172; silla para el niño f 207; silla para niños f 198
silleta de paseo f 75
sillín m 206, 242
sillón m 63; sillón del dentista m 50
silo m 183
sin 320; sin escamas 121; sin espinas 121; sin gas 144; sin grasa 137; sin mangas 34; sin pasteurizar 137; sin piel 121; sin plomo 199; sin sal 137; sin semillas 127; sin tirantes 34
sinagoga f 300
sinfonía f 256
singles m 230
sintético 31
sintonizar 179; sintonizar la radio 269
sirena f 94
sistema m 176; sistema de megafonía m 209; sistema solar m 280
sistemas m 19
sitio de taxis m 213
sitio web m 177
slálom m 247; slálom gigante m 247
snowboard m 247
sobre m 98, 173, sobre 320; sobre par m 233
sobrecargo f 190, 210
sobreexpuesto 271
sobregiro m 96
sobrina/-o f/m 23
socia f 24
socorrista m 239, 265
soda f 144
sofá m 62
sofá-cama m 63
software m 176

sol m 280
sola (casa) 58
solapa m 32
soldado m 189
soldador m 81
soldadura m 79, 81
soldar 79
soleado 286
soletillas f 141
soltar 245
soluble 109
solución desinfectante f 51
solvente m 83
sombra de ojos f 40
sombrero m 36; sombrero para el sol m 265
sombrilla f 264
somnífero m 109
sonaja f 74
sonajero m 74
sonata f 256
sonda f 50
sonrisa f 25
sopa f 153, 158
soporte del sillín m 206
soporte m 88, 166, 187, 205
sorbete m 141
sorprendido 25
sospechoso m 94, 181
sostenido 256
sótano m 58
soufflé m 158
spikes m 233
sport 34
spray m 109, 311
squash m 231
stop m 269
strike m 228
suavizante m 38, 76
subexpuesto 271
subibaja m 263
subir 139
submarino m 215
subsuelo m 91
suburbio m 299
sucursal f 175
sudadera f 33
suegra/-o f/m 23
suela f 37
sueldo m 175
suelo m 62, 71; suelo aislante m 267
suero m 53; suero de la leche m 137
suéter m 33
sujetador m 35; sujetador deportivo 35; sujetador para la lactancia m 53
sujetapapeles m 173
sumar 165
sumidero m 299
suministro de electricidad m 60
sumo m 237

supermercado m 105, 106
suplemento m 55
supositorio m 109
sur m 312
surco m 183
surfing m 241
surfista m 241
surtidor m 199
suspensión f 203, 205
suspirar 25
swing de práctica m 233

T

tabaco m 112, 184
tabacos y revistas 112
tabla f 238, 241; tabla con portapapeles f 173; tabla de gimnasia m 251; tabla de la plancha f 76; tabla de surf f 241; tabla para cortar f 68
tablero m 201, 226; tablero de ajedrez m 272; tablero de densidad media m 79
tableta de chocolate f 113
tablilla f 47; tablilla con sujetapapeles f 173; tablilla de chocolate f 113
taburete m 150
taclear 220, 221
taco m 155; taco del freno m 207
tacómetro m 201
tacón m 37
tacos m 223
taekwondo m 236
tai-chi m 236
taladrar 79
taladro eléctrico m 78
taladro inalámbrico m 78
taladro manual m 78, 81
talco m 73
talla en madera f 275
tallar 79
taller m 78, 199, 203
tallo m 111, 122, 297
talón m 13,15
talonario de cheques m 96
tambor pequeño m 257
tampón m 108
tándem m 206
tanque m 61; tanque de aire m 239; tanque de la gasolina m 203, 204; tanque del agua m 61
tapa f 61, 66, 72; tapa del escusado f 72; tapa del lente f 270;

tapa del objetivo f 270
tapacubo m 202
tapadera f 69
tapete m 59, 63, 71; tapete de baño m 72
tapizar 82
tapón m 72, 166, 202
taquígrafa f 181
taquilla f 209, 255
taquillas f 239
tarde 305, f 305
tarea f 163
tarifa f 197
tarima f 186
tarjeta f 27; tarjeta de crédito f 96; tarjeta de débito f 96; tarjeta de embarque f 213; tarjeta de la biblioteca f 168; tarjeta marilla f 223; tarjeta membretada f 173; tarjeta postal f 112; tarjeta roja f 223
tarrina f 311
tarro m 134, 311; tarro hermético m 135
tarta de cumpleaños f 141
tarta nupcial f 141
tartaleta de fruta f 140
tasa de interés f 96
tatuaje m 41
taxista m 190
taza f 61, 65, 75; taza de café f 65; taza de té f 65; taza medidora f 69; taza para el huevo f 65, 137
té m 144, 149, 184; té con hielo m 149; té con leche m 149; té con limón m 149; té de hierbas m 149; té en hoja m 144; té solo m 149; té verde m 149
teatro m 254, 299
tebeo m 112
techo m 62, 203; techo solar m 202
tecla f 176
teclado m 97, 99, 172, 176, 258
técnicas f 79, 159
técnico de sonido m 179
tee m 233
teja f 58, 187
tejado m 58
tejer 277
tela f 276, 277; tela adhesiva f 47; tela metálica f 167
telar m 277
teleférico m 246
teléfono m 99, 172; teléfono de

340

español • english

español

índice inglés • English index

english

español • english

english

C

cab 95; cab driver 190
cabbage 123
cabin 210, 214
cabinet 66
cable 79, 207; cable car 246; cable television 269
cactus 87
caddy 233
cesarean section 52
café 148, 262
cafeteria 168
cafetière 65
cake pan 69
cakes 140
calcite 289
calcium 109
calculator 165
calendar 306
calf 13, 16, 185
call button 48
calyx 297
cam belt 203
camcorder 260, 269
camel 291
camembert 142
camera 178, 260, 270; camera case 271; camera crane 178; camera shop 115
cameraman 178
camisole 35
camp v 266; camp bed 266
campari 145
camper van 266
campfire 266
camping 266; camping stove 267
campground 266
campus 168
can 145, 289, 311; can opener 68
canary 292
candied fruit 129
candle 63
candy 113; candy store 113
cane 91
canes 89
canine 50
canned drink 154
canned food 107
canoe 214
canoeing 241
canola oil 135
canter 243
canvas 274
cap 21, 36, 238
capacity 311

cape gooseberry 128
capers 143
capital 315
capoeira 237
cappuccino 148
capsize v 241
capsule 109
captain 214
car 198, 200; car accident 203; car rental 213; car seat 198, 207; car stereo 201; car wash 198
caramel 113
caraway 131
card 27; card phone 99; card slot 97
cardamom 132
cardboard 275
cardigan 32
cardiology 49
cardiovascular 19
cards 273
cargo 216
carnation 110
carnival 27
carousel 212
carpenter 188
carpentry bits 80
carpet 71
carriage race 243
carrier 75, 204
carrot 124
carry-on luggage 211, 213
cart 48, 100, 106, 208, 213
cartilage 17
carton 311
cartoon 178
carve v 79
carving fork 68
case 51
cash v 97
cashew 129
cashews 151
cashier 96, 106
casino 261
cassava 124
casserole dish 69
cassette player 269
cassette tape 269
cast 254; cast v 245
castle 300
casual 34; casual wear 33
cat 290
catalog 168
catamaran 215
cataract 51
catch v 220, 227, 229, 245

catcher 229
caterpillar 295
cathedral 300
catheter 53
cauliflower 124
cave 284
CD 269; CD player 268
cedar 296
ceiling 62
celebration 140; celebration cakes 141
celebrations 27
celeriac 124
celery 122
cell 94, 181; cell phone 99
cello 256
cement 186; cement mixer 186
centimeter 310
centipede 295
central reservation 194
center 164; center circle 222, 224, 226; center field 228; center line 226
centerboard 241
century 307
CEO 175
ceramic range 66
cereal 130, 156
cervical vertebrae 17
cervix 20, 52
chain 36, 206
chair 64; chair v 174
chairlift 246
chalk 85, 162, 288
chamber 283
chamomile tea 149
champagne 145
championship 230
change v 209; change a tire v 203; change channels v 269; change gears v 207
changing mat 74
changing room 104
channel 178
charcoal 266, 275
charge 94, 180
chart 48
chassis 203
check 96
checkbook 96
checkers 272
check-in v 212; check-in desk 213
checking account 96
checkout 106
checkup 50
cheddar 142

cheek 14
cheerleader 220
cheese 136, 156
chef 152, 190
chef's hat 190
chemistry 162
cherry 126; cherry tomato 124
chess 272
chessboard 272
chest 12; chest of drawers 70; chest press 251
chestnut 129
chewing gum 113
chick 185
chicken 119, 185; chicken burger 155; chicken coop 185; chicken nuggets 155; chicken pox 44
chicory 122
child 23, 31; child lock 75
childbirth 53
children 23
children's clothing 30
children's department 104
children's meal 153
children's ward 48
chili pepper 124, 132, 143
chill 44
chimney 58
chin 14
china 105
chip v 233
chips 113, 151
chipboard 79
chiropractic 54
chisel 81, 275
chives 133
chocolate 113; chocolate bar 113; chocolate cake 140; chocolate chip 141; chocolate milkshake 149; chocolate spread 135
chocolate-coated 140
choir 301
choke v 47
chop 119, 237
chorizo 143
choux pastry 140
christening 26
Christmas 27
chrysanthemum 110
chuck 78
church 298, 300
chutney 134

cider 145; cider vinegar 135
cigar 112
cigarettes 112
cilantro 133
cinnamon 133
circle 165, 254
circular saw 78
circuit training 251
circulation desk 168
circumference 164
citrus fruit 126
city 299
clam 121
clamp 78, 166; clamp stand 166
clapper board 179
clarinet 257
clasp 36
classical music 255, 259
classroom 162
claw 291
clay 85, 291
clean v 77; clean clothes 76
cleaned 121
cleaner 188
cleaning equipment 77
cleaning fluid 51
cleanser 41
clear honey 134
cleat 240
cleaver 68
clementine 126
client 38, 175, 180
cliff 285
climber 87
climbing frame 263
clinic 48, 168
clipboard 173
clitoris 20
clock 62; clock radio 70
closed 260, 321
cloth diaper 30
clothesline 76
clothespin 76
clothing 205
cloud 287
cloudy 286
clove 125
clover 297
cloves 133
club 273; club sandwich 155
clubhouse 232
clutch 200, 204
coach 196
coal 288
coast 285
coaster 150
coastguard 217

ÍNDICE INGLÉS • ENGLISH INDEX

english

coat 32; coat hanger 70
cockatoo 293
cockle 121
cockpit 210
cockroach 295
cocktail 151; cocktail
  shaker 150
cocoa powder 148
coconut 129
cocoon 295
cod 120
coffee 144, 148, 153,
  156, 184; coffee cup
  65; coffee machine
  148, 150; coffee
  milkshake 149; coffee
  spoon 153; coffee
  table 62
cog 206
coin 97; coin phone 99;
  coin return 99
cola 144
colander 68
cold 44, 286, 321; cold
  faucet 72
cold-pressed oil 135
collage 275
collar 32
collarbone 17
colleague 24
collect call 99
collection 98
college 168
cologne 41
colony 315
colored pencil 163
colors 39, 274
comb 38; comb v 38
combat sports 236
combine 182
comedy 255
comforter 71
comet 280
comic 112
commis chef 152
commission 97
communications 98
commuter 208
compact 40; compact
  car 199
company 175
compartment 209
compass 165, 312, 240
complaint 94
complexion 41
composite 181
compost 88; compost
  pile 85
computer 172, 176
concealer 40
conceive v 20

conception 52
concert 255, 258
concourse 209
concrete block 187
concussion 46
condensed milk 136
conditioner 38
condom 21
conductor 256
cone 164, 187
confectionery 107, 113
confident 25
confused 25
conglomerate 288
conifer 86
connect v 177
connection 212
conning tower 215
console 269
constellation 281
construction 186;
  construction worker
  186, 188
consultant 49
consultation 45
contact lenses 51
container 216, 311;
  container port 216;
  container ship 215
continent 282, 315
contraception 21, 52
contraction 52
control tower 212
controller 269
controls 201, 204
convenience food 107
convertible 199
conveyer belt 106
cooked meat 118, 143
cookies 113, 141
cooking 67
coolant reservoir 202
cooling rack 69
co-pilot 211
copper 289
copy v 172
cor anglais 257
coral reef 285
cordless drill 78
cordless phone 99
core 127
cork 134
corkscrew 150
corn 122, 130, 184; corn
  bread 139; corn oil
  135
cornea 51
corner 223; corner flag
  223
cornice 300
corset 35

costume 255
cottage cheese 136
cottage garden 84
cotton 184, 277; cotton
  balls 41
cough 44; cough drop
  109; cough medicine
  108
counselor 55
count v 165
counter 96, 98, 100,
  142, 272
countertop 66
country 259, 315
couple 24
courier 99
courses 153
court 226; court case
  180; court clerk 180;
  court date 180
courtroom 180
courtyard 58, 84
couscous 130
cousin 22
coverall 30
cow 185
cow's milk 136
CPU 176
crab 121, 295
cracked wheat 130
cradle 95
craft knife 82
crafts 275
cramp 239
cramps 44
cranberry 127
crane 187, 216, 292
crater 283
crayfish 121
cream 109, 137, 140,
  157; cream cheese
  136; cream pie 141
crease 225
credit card 96
creel 245
creeper 87
crème caramel 141
crème patisserie 140
crêpe 155, 157
crescent moon 280
crew 241; crew hatch
  281
crib 74
cricket 225, 295; cricket
  ball 225
cricketer 225
crimo 04
criminal 181; criminal
  record 181
crisp 127
crispbread 139, 156

crisper 67
crochet 277; crochet
  hook 277
crockery 64; crockery
  and cutlery 65
crocodile 293
croissant 156
crop 39, 183; crop farm
  183
crops 184
crossbar 207, 222, 235
cross-country skiing
  247
cross-trainer 250
crosswalk 195
crow 292
crown 50
crucible 166
crushed 132
crust 139, 282
cry v 25
crystal healing 55
cube 164
cucumber 125
cuff 32, 45
cufflink 36
cultivate v 91
cultivator 182
cumin 132
curb 298
cured 118, 159, 143
curler 38
curling 247; curling iron
  38
curly 39
currant 129
curry 158; curry powder
  132
curtain 63, 254
curved 165
cushion 62
custard 140
customer 96, 104, 106,
  152; customer service
  department 175;
  customer services 104
customs 212; customs
  house 216
cut 46; cut v 38, 79, 277
cuticle 15
cutlery 64
cuts 119
cutting 91; cutting board
  68
cuttlefish 121
cycle v 207; cycle lane
  200
cycling 263
cylinder 164; cylinder
  head 202
cymbals 257

D

daffodil 111
dairy 107; dairy farm
  183; dairy produce
  136
daisy 110, 297
dam 300
dance 259; dance
  academy 169
dancer 191
dandelion 123, 297
dandruff 39
dark 41, 321
darkroom 271
darn v 277
dartboard 273
darts 273
dashboard 201
date 129, 306
daughter 22
daughter-in-law 22
dawn 305
day 305, 306; day after
  tomorrow 307; day
  before yesterday 307
dead ball line 221
deadhead v 91
deal v 273
debit card 96
decade 307
decay 50
December 306
deciduous 86
decimal 165
deck 214; deck chair
  265; deck of cards 273
decking 85
decorating 82
decoration 141
decorator 82
deep end 239
deep-fried 159
deep-sea fishing 245
deer 291
defense 181, 220
defendant 181
defender 223
defending zone 224
defrost v 67
degree 169
delay 209
deli 107
delicatessen 142
delivery 52, 98
deltoid 16
denomination 97
denominator 165
dental care 108
dental floss 50, 72
dental hygiene 72
dental X-ray 50

english

english

english

english

laboratory 166
lace 35, 37; lace bobbin 277
lace-making 277
lace-up 37
lacrosse 249
lactose 137
ladder 95, 186
ladle 68
lady fingers 141
ladybug 295
lake 285
lamb 118, 185
lamp 62, 207, 217
land 282; land v 211
landing 59; landing gear 210; landing net 244
landlord 58
landscape 271, 284; landscape v 91
lane 234, 238
languages 162
lapel 32
laptop 175
larch 296
large 321; large intestine 18
larynx 19
last week 307
late 305
later 304
latex paint 83
latitude 283
laugh v 25
launch 281; launch pad 281
laundromat 115
laundry 76; laundry basket 76; laundry service 101
lava 283
law 169, 180
lawn 85, 90; lawn rake 88
lawnmower 88, 90
lawyer 180, 190
lawyer's office 180
laxative 109
lead singer 258
leaded 199
leaf 122, 296
league 223
lean meat 118
learn v 163
leather shoe 37
leather shoes 32
leathers 205
lecture hall 169
leek 125
left 260; left field 228
left-hand drive 201

leg 12, 119; leg pad 225; leg press 251
legal advice 180
legal department 175
leggings 31
legumes 130
leisure 258, 254, 264
lemon 126; lemon curd 134; lemon grass 133; lemon sole 120
lemonade 144
length 165, 310
lens 270; lens (eye) 51; lens (glasses) 51; lens cap 270; lens case 51
lesson 163
let 231
letter 98; letter slot 58, 99
letterhead 173
lettuce 123
level 80, 187
lever 61, 150
librarian 168, 190
library 168, 299; library card 168
license plate 198
liquor store 115
licorice 113
lid 61, 66
life jacket 240
life preserver 240
life raft 240
lifeboat 214
lifeguard 239, 265; lifeguard tower 265
ligament 17
light 178, 321; light a fire v 266; light aircraft 211; light bulb 60
lighter 112
lighthouse 217
lighting 105
lightmeter 270
lightning 287
lights 94; lights switch 201
lily 110
lime 126, 296
limestone 288
limousine 199
line 244; line judge 220; line of play 233
linen 105, 277; linen basket 76
lines 165
linesman 223, 230
lingerie 35, 105
lining 32; lining paper 83
link 36

lintel 186
lion 291
lip 14; lip brush 40; lip gloss 40; lip liner 40
lipstick 40
liqueur 145
liquid 77; liquid dispenser 311; liquid measure 311
liter 311
literature 162, 169
little finger 15
little toe 15
live 60, 178; live rail 209
liver 18, 118
livestock 183, 185
living room 62
lizard 293
load v 76; load line 214
loaf 139
loan 96, 168
lob 230
lobby 100, 255
lobster 121, 295
lock 59, 207
lockers 239
log on v 177
loganberry 127
logo 31
loin 121
lollipop 113
long 32; long jump 235; long wave 179
long-grain 130
long-handled shears 88
longitude 283
loofah 73
loom 277
loose tea 144
lose v 273
loser 273
lotion 109
lottery tickets 112
love 230
low 321
luge 247
luggage 100, 198, 213; luggage department 104; luggage hold 196; luggage rack 209
lumbar vertebrae 17
lunar module 281
lunch 64; lunch menu 152
lung 18
lunge 251
lupins 297
lure 244
lychee 128
lymphatic 19
lyrics 259

M
macadamia 129
mace 132
machine gun 189
machinery 187
mackerel 120
macramé 277
magazine 112
magazines 107
magma 283
magnesium 109
magnet 167
maid service 101
mail carrier 98, 190
mailbag 98, 190
mailbox 99
mainsail 240
make a will v 26
make friends v 26
make the bed v 71
makeup 40
making bread 138
malachite 288
male 12, 21
mallet 78, 275
malt vinegar 135
malted drink 144
mammals 290
man 23
manager 24, 174
manchego 142
mane 242, 291
mango 128
mangosteen 128
manhole 299
manicure 41
mantelpiece 63
mantle 282
manual 200
map 195, 261
maple 296; maple syrup 134
maracas 257
marathon 234
marble 288
March 306
margarine 137
marina 217
marinated 143, 159
marine fishing 245
marjoram 133
mark v 227
market 115
marketing department 175
marmalade 134, 156
marrow 124
Mars 280
marshmallow 113
martial arts 237
martini 151

marzipan 141
mascara 40
mashed 159
masher 68
mask 189, 228, 236, 239, 249
masking tape 83
masonry bit 80
massage 54
mast 240
masters 169
mat 54, 83, 235, 271
match 230
matches 112
material 276
materials 79, 187
maternity 49; maternity ward 48
math 162, 164
mattress 70, 74
May 306
maybe 322
mayonnaise 135
MDF 79
meadow 285
meal 64
measles 44
measure 150, 151; measure v 310
measurements 165
measuring cup 69, 311
measuring spoon 109
meat 119; meat and poultry 106; meat tenderizer 68
meatballs 158
meathook 118
mechanic 188, 203
mechanics 202
medals 235
media 178
medical examination 45
medication 109
medicine 109, 169; medicine cabinet 72
meditation 54
medium wave 179
meeting 174; meeting room 174
melody 259
melon 127
memory 176
men's clothing 32
menswear 105
menstruation 20
menu 148, 153, 154; menu bar 177
mercury 289; Mercury 280
meringue 140
mesosphere 286

english

english

operation 48
operator 99
ophthalmology 49
opponent 236
opposite 320
optic 150; optic nerve 51
optician 51, 189
orange 126, 274; orange
  juice 148
orangeade 144
orbit 280
orchestra 254, 256;
  orchestra pit 254
orchid 111
order v 153
oregano 133
organic 91, 118, 122;
  organic waste 61
organizer 175
origami 275
ornamental 87
orthopedics 49
osteopathy 54
ostrich 292
otter 290
ounce 310
out 225, 228, 320; out
  of bounds 226; out of
  focus 271
outboard motor 215
outbuilding 182
outdoor activities 262
outer core 282
outfield 229
outlet 61
outpatient 48
outside 320
out-tray 172
oval 164
ovary 20
oven 66; oven mitt 69
ovenproof 69
over 320; over par 233
overalls 30, 82
overdraft 96
overexposed 271
overflow pipe 61
overhead bin 210
overhead projector 163
overpass 194
overture 256
ovulation 20, 52
owl 292
oyster 121
ozone layer 286

P

pack 311; pack of
  cigarettes 112
package 99, 311
pad 224

paddle 241
paddock 242
pads 53, 220
painkiller 109
painkillers 47
pail 77, 82, 265
paint 83l paint v 83; paint
  can 83; paint tray 83
painter 191
painting 62, 261, 274
paints 274
pajamas 33
pak-choi 123
palate 19
palette 274
pallet 186
palm 15, 86, 296; palm
  hearts 122
palmtop 175
pan 310
pan-fried 159
pancreas 18
panda 291
panties 35
pants 32, 34
panty liner 108
papaya 128
paper clip 173
paper guide 172
paper napkin 154
paper tray 172
papier-maché 275
paprika 132
par 233
parachute 248
parachuting 248
paragliding 248
parallel 165; parallel bars
  235
parallelogram 164
paramedic 94
parents 23
park 262; park v 195
parka 31, 33
parking brake 203
parking meter 195
parking lot 298
parmesan 142
parole 181
parrot 293
parsley 133
parsnip 125
partner 23
pass 226; pass v 195,
  220, 223
passenger 216;
  passenger port 216
passion fruit 128
Passover 27
passport 213; passport
  control 213

pasta 158
pastels 274
pasteurized 137
pasting brush 82
pasting table 82
pastry 140, 149; pastry
  brush 69
pasture 182
patch 207
patchwork 277
pâté 142, 156
path 58, 85
pathology 49
patient 45
patio garden 85
pattern 276
pause 269
paving 85
pawn 272
pay v 153
pay-per-view channel
  269
payment 96
payroll 175
peach 126, 128
peacock 293
peanut 129; peanut
  butter 135
peanuts 151
pear 127
peas 131
pecan 129
pectoral 16; pectoral fin
  294
pedal 61, 206; pedal v
  207
pedestrian zone 299
pediatrics 49
pedicure 41
pediment 301
peel v 67
peeled shrimp 120
pelican 292
pelvis 17
pen 163, 185; pen
  holder 172; pen pal 24
penalty 222; penalty
  area 223
pencil 163, 275; pencil
  case 163; pencil
  sharpener 163
pendant 36
penguin 292
peninsula 282
penis 21
pentagon 164
peony 111
people 12, 16
pepper 64, 124, 152
peppercorn 132
pepperoni 142

percentage 165
percussion 257
perennial 86
perfume 41, 105
pergola 84
periodical 168
perm 39
perpendicular 165
persimmon 128
personal best 234
personal CD player 269
personal organizer 173,
  175
personal trainer 250
pesticide 89, 183
pestle 68, 167
pet food 107
pet store 115
petal 297
petri dish 166
pharmacist 108, 189
pharmacy 108
pharynx 19
pheasant 119, 293
Phillips screwdriver 81
philosophy 169
photo album 271
photo finish 234
photographer 191
photograph 271;
  photograph v 271
photography 270
phyllo pastry 140
physical education 162
physics 162, 169
physiotherapy 49
piano 256
piccolo 257
pick v 91
pick-and-mix 113
pickax 187
pickled 159
pickup 258
picnic 263; picnic bench
  266
picture frame 271
pie 158; pie pan 69
piece 272
pier 217
pies 143
pig 185; pig farm 183
pigeon 292
pigeonhole 100
piglet 185
pigsty 185
pigtails 39
Pilates 251
pill 21, 109
pillar 300
pillion 204
pillow 70

pillowcase 71
pilot 190, 211
pin 60, 237, 249, 276
PIN 96
pincushion 276
pine 296; pine nut 129
pineapple 128;
  pineapple juice 149
pink 274
pint 311
pinto beans 131
pipe 112, 202; pipe
  cutter 81
pipette 167
piping bag 69
pistachio 129
pita bread 139
pitch v 229; pitch a tent
  v 266
pitcher 151, 229
pitcher's mound 228
pitches available 266
pith 126
pizza 154
pizzeria 154
place mat 64
place setting 65
placenta 52
plain 285
plane 81; plane v 79
planet 280, 282
plant v 183
plant pot 89
plants 86, 296
plaque 50
plaster v 82
plastic bag 122
plastic pants 30
plastic surgery 49
plate 283
plateau 284
platform 208; platform
  number 208; platform
  shoe 37
platinum 289
play 254, 269; play v
  229, 273
player 221, 231, 273
playground 263
playhouse 75
playing 75
playpen 75
plea 180
please 322
plow v 183
plug 60, 72
plum 126
plumb line 82
plumber 188
plumbing 61
plunger 81

english

english

english

english

agradecimientos • acknowledgments

DORLING KINDERSLEY would like to thank Tracey Miles and Christine Lacey for design assistance, Georgina Garner for editorial and administrative help, Sonia Gavira, Polly Boyd, and Cathy Meeus for editorial help, and Claire Bowers for compiling the DK picture credits.

The publisher would like to thank the following for their kind permission to reproduce their photographs:
Abbreviations key:
t = top, b = bottom, r = right, l = left, c = centre

Abode: 62; **Action Plus:** 224bc; **alamy.com:** 154t; A.T. Willett 287bcl; Michael Foyle 184bl; Stock Connection 287bcr; **Allsport/Getty Images:** 238cl; **Alvey and Towers:** 209 acr, 215bcl, 215bcr, 241cr; **Peter Anderson:** 188cbr, 271br. **Anthony Blake Photo Library:** Charlie Stebbings 114cl; John Sims 114tcl; **Andyalte:** 98tl; **apple mac computers:** 268tcr; **Arcaid:** John Edward Linden 301bl; Martine Hamilton Knight, Architects: Chapman Taylor Partners, 213cl; Richard Bryant 301br; **Argos:** 41tcl, 66cbl, 66cl, 66br, 66bcl, 69cl, 70bcl, 71t, 77tl, 269tc, 270tl; **Axiom:** Eitan Simanor 105bcr; Ian Cumming 104; Vicki Couchman 148cr; **Beken Of Cowes Ltd:** 215cbc; **Bosch:** 76tcr, 76tc, 76tcl; **Camera Press:** 27c, 38tr, 256t, 257cr; Barry J. Holmes 148tr; Jane Hanger 159cr; Mary Germanou 259bc; **Corbis:** 78b; Anna Clopet 247tr; Bettmann 181tl, 181tr; Bo Zauders 156t; Bob Rowan 152bl; Bob Winsett 247cbl; Brian Bailey 247br; Carl and Ann Purcell 162l; Chris Rainer 247ctl; ChromoSohm Inc. 179tr; Craig Aurness 215bl; David H.Wells 247cbr; Dennis Marsico 274bl; Dimitri Lundt 236bc; Duomo 211bl; Gail Mooney 277ctcr; George Lepp 248c; Gunter Marx 248cr; Jack Fields 210b; Jack Hollingsworth 231bl; Jacqui Hurst 277cbr; James L. Amos 247bl, 191cttr; 220bcr; Jan Butchofsky 277cbc; Johnathan Blair 243cr; Jon Feingersh 153tr; Jose F. Poblete 179tr; Jose Luis Pelaez.Inc 153tc, 175tl; Karl Weatherly 220bl, 247tcr; Kelly Mooney Photography 259tl; Kevin Fleming 249bc; Kevin R. Morris 105tr, 243tl, 243tc; Kim Sayer 249tcr; Lynn Goldsmith 258t; Marduff Everton 231bcl; Mark Gibson 249bl; Mark L. Stephenson 249tcl; Michael Pole 115tr; Michael S. Yamashita 247ctcl; Mike King 247cbl; Neil Rabinowitz 214br; Owen Franken 112t; Pablo Corral 115bc; Paul A.

Sounders 169br, 249ctcl; Paul J. Sutton 224c, 224br; Peter Turnley 105tcr; Phil Schermeister 227b, 248tr; R. W Jones 309; R.W. Jones 175tr; Richard Hutchings 168b; Rick Doyle 241ctr; Robert Holmes 97br, 277ctc; Roger Ressmeyer 169tr; Russ Schleipman 229; Steve Raymer 168cr; The Purcell Team 211ctr; Tim Wright 178; Vince Streano 194t; Wally McNamee 220br, 220bcl, 224bl; Yann Arhus-Bertrand 249tl; **Demetrio Carrasco / Dorling Kindersley (c) Herge / Les Editions Casterman:** 112ccl; **Dixons:** 270cl, 270cr, 270bl, 270bcl, 270bcr, 270ccr; **Education Photos:** John Walmsley 26tl; **Empics Ltd:** Adam Day 236br; Andy Heading 243c; Steve White 249cbc; **Getty Images:** 48bcl, 100t, 114bcr, 154bl, 287tr; 94tr; **Dennis Gilbert:** 106tc; **Hulsta:** 70t; **Ideal Standard Ltd:** 72r; **The Image Bank/Getty Images:** 58t; **Impact Photos:** Eliza Armstrong 115cr; John Arthur 190tl; Philip Achache 246t; **The Interior Archive:** Henry Wilson, Alfie's Market 114bl; Luke White, Architect: David Mikhail, 59tl; Simon Upton, Architect: Phillippe Starck, St Martins Lane Hotel 100bcr, 100br; **Jason Hawkes Aerial Photography:** 216t; **Dan Johnson:** 26cbl, 35r; **Kos Pictures Source:** 215cbl, 240tc, 240tr; David Williams 216b; **Lebrecht Collection:** Kate Mount 169bc; **MP Visual.com:** Mark Swallow 202t; **NASA:** 280cr, 280ccl, 281tl; **P&O Princess Cruises:** 214bl; **P A Photos:** 181br; **The Photographers' Library:** 186bl, 186bc, 186t; **Plain and Simple Kitchens:** 66t; **Powerstock Photolibrary:** 169tl, 256t, 287tc; **Rail Images:** 208c, 208 cbl, 209br; **Red Consultancy:** Odeon cinemas 257br; **Redferns:** 259br; Nigel Crane 259c; **Rex Features:** 106br, 259tc, 259tr, 259bl, 280b; Charles Ommaney 114tcr; J.F.F Whitehead 243cl; Patrick Barth 101tl; Patrick Frilet 189cbl; Scott Wiseman 287bl; **Royalty Free Images:** Getty Images/Eyewire 154bl; **Science & Society Picture Library:** Science Museum 202b; **Skyscan:** 168t, 182c, 298; Quick UK Ltd 212; **Sony:** 268bc; **Robert Streeter:** 154br; **Neil Sutherland:** 82tr, 83tl, 90t, 118, 188cctr, 196tl, 196tr, 299cl, 299bl; **The Travel Library:** Stuart Black 264t; **Travelex:** 97cl; **Vauxhall:** Technik 198t, 199tl, 199tr, 199cr, 199ctcl, 199ctcr, 199tcl, 199tcr, 200; **View Pictures:** Dennis Gilbert, Architects: ACDP Consulting, 106t; Dennis Gilbert,

Chris Wilkinson Architects, 209tr; Peter Cook, Architects: Nicholas Crimshaw and partners, 208t; **Betty Walton:** 185br; **Colin Walton:** 2, 4, 7, 9, 10, 28, 42, 56, 92, 95c, 99tl, 99tcl, 102, 116, 120t, 138t, 146, 150t, 160, 170, 191ctcl, 192, 218, 252, 260br, 260l, 261tr, 261c, 261cr, 271cbl, 271cbr, 271ctl, 278, 287br, 302, 401.

DK PICTURE LIBRARY:
Akhil Bahkshi; Patrick Baldwin; Geoff Brightling; British Museum; John Bulmer; Andrew Butler; Joe Cornish; Brian Cosgrove; Andy Crawford and Kit Hougton; Philip Dowell; Alistair Duncan; Gables; Bob Gathany; Norman Hollands; Kew Gardens; Peter James Kindersley; Vladimir Kozlik; Sam Lloyd; London Northern Bus Company Ltd; Tracy Morgan; David Murray and Jules Selmes; Musée Vivant du Cheval, France; Museum of Broadcast Communications; Museum of Natural History; NASA; National History Museum; Norfolk Rural Life Museum; Stephen Oliver; RNLI; Royal Ballet School; Guy Ryecart; Science Museum; Neil Setchfield; Ross Simms and the Winchcombe Folk Police Museum; Singapore Symphony Orchestra; Smart Museum of Art; Tony Souter; Erik Svensson and Jeppe Wikstrom; Sam Tree of Keygrove Marketing Ltd; Barrie Watts; Alan Williams; Jerry Young.

Additional Photography by Colin Walton.

Colin Walton would like to thank:
A&A News, Uckfield; Abbey Music, Tunbridge Wells; Arena Mens Clothing, Tunbridge Wells; Burrells of Tunbridge Wells; Gary at Di Marco's; Jeremy's Home Store, Tunbridge Wells; Noakes of Tunbridge Wells; Ottakar's, Tunbridge Wells; Selby's of Uckfield; Sevenoaks Sound and Vision; Westfield, Royal Victoria Place, Tunbridge Wells.

All other images are Dorling Kindersley copyright. For further information see www.dkimages.com